吉田豪の巨匠ハンター

毎日新聞出版

吉田豪の巨匠ハンター　目次

WANTED LEGENDS

HUNTER YOSHIDA GO!!

前口上

本書に収録したインタビューのうちＣＨＡＰＴＥＲ１〜８は、徳間書店で２０１５年夏から２０１７年初頭までにほぼ隔月で刊行されていた、いまは無きムック・シリーズ「キャラクターランド」などに掲載された連続記事です。「巨匠ハンター」という題は、その掲載途中から、キャプションのように付記していたものでしたが、今回書籍化にあたって正式なタイトルといたしました。また、ＣＨＡＰＴＥＲ９はボーナストラックとして、新規取材したものです。

全体の経緯について、まずは記します。

「キャラクターランド」は、玩具&特撮関連の月刊情報誌であった「ハイパーホビー」の雑誌コードを使用した定期刊行物としての休刊にともない、同趣向の雑誌を継続すべく隔月で刊行を開始したムックであり、ＶＯＬＵＭＥ１から９まで発売されました。この前口上や各ＣＨＡＰＴＥＲ末尾の脚注パートを記している私は、当時徳間書店に所属し、吉田氏の書籍担当をしていた者となります。

掲載時期からいささか時間を経ているので、それぞれについて経緯を記していきます。また、今回の書籍化にあたってインタビュイーの皆様にも再チェックをお願いいたしました。

まずは、**富野由悠季**氏の登場するＣＨＡＰＴＥＲ１。こちらは２０１５年８月１日刊行（奥付）の同誌ＶＯＬＵＭＥ２に、同時期に日本コロムビアから発売された『海のトリトン　オリジナル・サウンドトラック』の紹介も兼ねて掲載いたしました。そのため話題は富野氏の初監督作であり、本書では何故か各所で登場する西崎義展氏の初プロデュース作品である『海のトリトン』を中心としたインタビューになっています。また、吉田氏が以前から富野監督に関心を持っていることを知ってのセッティングでした。インタビュー場所は、当時『Gのレコンギスタ』を映画版へ仕立て直し始めた富野監督が詰めていたサンライズの某スタジオでした。

ＣＨＡＰＴＥＲ２は、90歳をこえてまだまだ現役として、卒寿記念演奏会を終えたばかりの作曲家・**渡辺宙明**氏に。こちらは２０１５年10月１日刊行の同誌ＶＯＬＵＭＥ３に掲載。今回は日本コロムビアから発売されたＣＤ『渡辺宙明 卒寿記念～CHUMEI 90 SONGS』の紹介も兼ねての企画でした。取材場所は日本コロムビアの応接室をお借りいたしました。

ＣＨＡＰＴＥＲ３の**松本零士**氏は、２０１５年12月１日刊行（奥付）の同誌ＶＯＬＵＭＥ４が『スター・ウォーズ　フォースの覚醒』の公開時期であったため、〈東西宇宙活劇大戦〉という特集企画のもと、「東」を代表する人物としてご登場いただきました。大泉学園の零時社に伺っての取材となりました。２０１９年訪伊中に緊急入院されましたが、帰国後には零時社公式サイトが設立されるなどますますお元気な御様子です。

ＣＨＡＰＴＥＲ４は、２０１６年２月１日刊行の同誌ＶＯＬＵＭＥ５掲載。前号の松本先生のながれを汲んで、松本アニメの作中楽曲を、多く歌唱している**ささきいさお**氏となりました。場所は再び江戸見坂の日本コロムビア。話は当然のごとく『宇宙戦艦ヤマト』におよびます。

ＣＨＡＰＴＥＲ５は、日本アニメ界、いやテレビ業界の生き字引のひとり、**辻真先**氏。ミステリ作家としても質と量を兼ね備えた作品群を執筆し、80歳を超えても、アニメ・漫画・ライトノベルなど若者向けエンタテインメントへの目配りを欠かさない姿は、感嘆するしかありません。取材場所は熱海のご自宅、掲載号は同誌ＶＯＬＵＭＥ７（２０１６年６月1日刊行）。

ＣＨＡＰＴＥＲ６は、２０１６年8月2日刊行の同誌ＶＯＬＵＭＥ８から。インタビューイーとしてご登場いただいたのは、ちょうどＯＶＡ『機動戦士ガンダム ＴＨＥ ＯＲＩＧＩＮ』の監督を手掛けることで、ふたたびアニメの世界を活躍の場としていた**安彦良和**氏。こちらでも『宇宙戦艦ヤマト』が登場し、継続中だった本企画が、ある種のミステリの構造ように、裏テーマとして「不在の手塚治虫と西崎義展」をめぐる物語として進展していることに気づかされました。取材場所は安彦氏の御自宅にお邪魔いたしました。

ＣＨＡＰＴＥＲ７の**杉井ギサブロー**氏は、宮崎駿氏や高畑勲氏より先に東映動画に採用されながら、まだ機能していなかった虫プロダクションに移籍して『鉄腕アトム』のテレビ放送をささえた大ベテラン。そのキャリアは『アニメ師・杉井ギサブロー』というドキュメンタリー映画（２０１２年7月公開。監督・石岡正人）にもまとめられています。掲載は同誌最終号となるＶＯＬＵＭＥ９（２０１６年10月14日発行）、取材場所は某ホテル・ティールーム。

ＣＨＡＰＴＥＲ８は、休刊決定後の苦肉の策として「キャラクターランドSpecial」と題して発売された、ウルトラマンの新作情報を集約したムック「ウルトラマンオーブ ＴＨＥ ＯＲ

ＩＧＩＮ ＳＡＧＡ」に間借りするように掲載されました。発行は２０１７年1月20日。登場いただいた**丸山正雄**氏は知る人ぞ知る、日本一多くのアニメーションに携わったアニメ界屈指のプロデューサー。取材時には企画した『この世界の片隅に』が大ヒットしたばかり。取材場所のスタジオＭ２の一室でも、「不在のふたり」の名前が登場いたしました。

あと、同ムックＶＯＬＵＭＥ６（２０１６年4月1日刊行）誌上には、２０１９年10月に物故された吾妻ひでお氏のインタビューも掲載されたのですが、本書での収録は諸事情あって見送らせていただきましたこと付記させていただきます。

御登場いただいた巨匠の皆さまには、感謝いたします。

そして、ＣＨＡＰＴＥＲ９は録りおろしのボーナストラックとして、虫プロ系でも東映系でもない、もうひとつのアニメ制作集団であるタツノコ系から**押井守**氏にご登場いただきました。ここでは、「手塚＆西崎」の話題は出ることはなく、東映系の直系となるジブリの話がチラホラ。２０２０年となってからの、プロダクション・アイジーのスタジオ内での取材となりました。

巨匠という大樹は各地にまだまだ残されており、その根元には聞いておくべきお宝が埋まっています。プロインタビュアー吉田豪氏のますますのトレジャーハンティングを期待してやみません。

〈ＯＳ〉

EDITING COOPERATION：大野修一

PORTRAIT PHOTOGRAPHY：小林嘉樹

BOOK DESIGN：スラッシュ　塚本雄一郎

COVER ILLUSTRATION：鶴田謙二

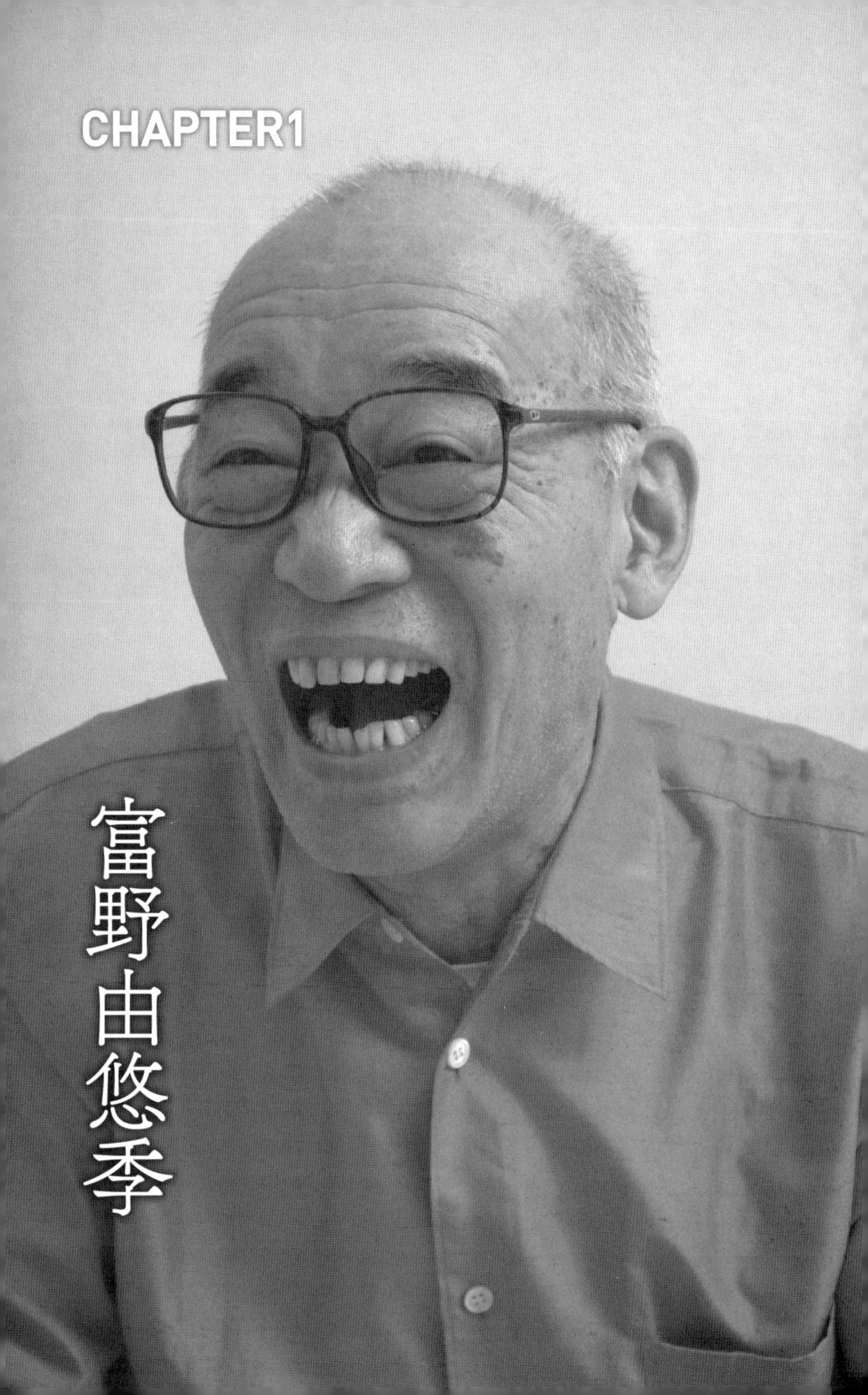

CHAPTER1

富野由悠季

とみの・よしゆき

富野由悠季

１９４１年生まれ、神奈川県出身。日本大学芸術学部卒業後、１９６４年虫プロダクション入社。『鉄腕アトム』で演出家デビュー。虫プロ倒産前に退社。１９７２年『海のトリトン』で監督に。虫プロを退社した背広組の立ち上げた創映社（現・サンライズ）で『勇者ライディーン』を監督するが、途中降板することに。代表作は『機動戦士ガンダム』『伝説巨神イデオン』『無敵超人ザンボット３』『聖戦士ダンバイン』など多数。最新作の劇場版『Ｇのレコンギスタ』全５部作を順次公開中。

富野作品の影響力

——『無敵超人ザンボット3』[註1]と『伝説巨神イデオン』[註2]に人生を変えられました。インタビュアーの吉田豪と申します！

富野 あ、そ、ありがとうございます。もの好きな人だなって言いたいんだけど。

——ダハハハハ！ 小学生であんな作品を見せられたら誰の人生でも変わりますよ！

富野 そういうことを意識してたら、作品は作れません。アニメであろうがなかろうが作品を発表するということは、遊びごとではないんです。だけど僕は、『イデオン』までで力を使い果たしたので、40年近くヒット作を作れていません。

——え？ あの後も毎年のようにかなりのレベルの作品を作ってきたし、最近でも新作を作り続けているわけじゃないですか。

富野 細田（守）[註3]監督に負けるような作品では、作ったとはいえないから、それ以降はあまり楽しくない人生でした。

——そんな総括なんですか？

富野 そうです。

——ただ、富野監督が人の人生を左右しかねない作品を作るようになった原点が『海のトリトン』だったと思うんですよね。

富野　それも結局、自分のキャリアとも関係しているからそう言われてしまうし、それでいいでしょう。いまの総括は自己卑下をしているわけではなくて、こういうふうにしかできなかったということなんです。テレビアニメという絶対的な条件のなかでやってるんで、そういう意味で、本当の意味での作家とは違いますね。

――制限が相当あるわけですよね。

富野　外的な制限だけじゃなくて、僕の能力程度で仕事をやるとこんなふうにしかできないという結果論なわけです。だけど、この程度の能力の人間でも作品らしいものを作るきっかけになるようなことができたんじゃないか、というのがテレビの仕事という条件なわけです。別の見方としては、僕の価値を認めてくれる人と出会えていたら、そのあと巨匠になるようなキャリアが踏めたかもしれないけれど、パートナーが見つけられませんでした。見つけようとも思ったんだけど20年ぐらい時代がズレていた感じがあったし、一緒に仕事をした人たちからは、嫌われていましたから。

――ダハハハハ！　そのせいで、ともに闘ってくれるような仲間とは出会えなかった？

富野　かすかに僕のやろうとする意味をわかってくれる人が出てきたときも、その人と僕は馬が合わなかったために、結局は手を組めなかったんです。それが鈴木敏夫[註4]さん。

――あ、そうだったんですか！

富野　とてもつまらないことで大ゲンカしたことがあって、1年か2年かしたら宮崎（駿[註5]）さんと一緒に仕事していました。

——つまり、その時期！

富野　ホントにつまらないことのようなんだけど、皮膚感の違いって大切なんです。鈴木敏夫さんのことを初めてこういうストラクチャーで考えてみて、やっぱりあの感覚はかなり大きかったなと思います。そういう意味では、鈴木敏夫、宮崎駿という組み合わせにいけたおふたりは、運がよかったのかなぁ。あの頃の気分でいうと、ワーッと取り残されてしまった自分というのをものすごく自覚しました。これも人の縁ですね。

このまま話を続けると徹底的に自己批評することになってしまうわけ。そうすると、僕程度でもファンの方がいてくださるのに、「俺は無能だ」って言い募っていいとは思えないので、いまさら『海のトリトン』がなんなのさ、って話にいきましょう。

『海のトリトン』の裏側

——ダハハハハ！　『海のトリトン』への思い入れは実際どれぐらいあるんですか？

富野　現場的には処女作になるわけだから、それなりの思いはあります。ところが当時のテレビシリーズの制作状況としては、絶対的な悪辣な条件のなかでやらされた仕事だからいい思い出はありません。

――スケジュールもひどいわけですよね。

富野　そんな生やさしいもんじゃない。アフレコ、ダビングに一度も顔を出せなかったのは、作画をしているスタジオから一瞬でも外れたら最後だという感覚があったからです。キャスティングのときに浦上靖夫音響監督[註6]と1回だけ話はしましたが、そういう状況だったから、作品づくりをしたという記憶はないですね。

――総監督をした実感もそれほどない？

富野　そこは多少違っています。その意地を通したからこそ、ああいう作りになったわけですし、ああいう作りにするために、シナリオライター全員と大ゲンカ[註7]して、それ以降彼らとは一切仕事ができなくなりました。

――うわーっ!!　手塚治虫先生の原作とも全然違う衝撃的な最終回は、脚本を完全に変えちゃったって伝説になってますよね。

富野　あんな最終回、シナリオライターの合意が取れるわけがないでしょ？　そこに能力の問題が出てくるわけです。テレビシリーズの仕事をしている人間はこのレベルかよっていうこちら側の言い方があり、逆にむこう側から言うと、テレビアニメでそんなことやっていいのかっていう規制がかかるわけです。でも、テレビアニメごときで大人の事情みたいなものに縛られているんだったら、仕事以下だろ、と思っていました。そんな世界で仕事師のまま終わっていくのは絶対に嫌だったから勝手をやったのです。

――自分の監督作である以上、やりたいことはやらせてもらおうって腹を括ったんですね？

富野　腹を括るということはかなり過酷な問題だし、その瞬間でいえば、これをやってシナリオライターに嫌われたら、僕はこれ以降アニメの世界で演出の仕事をさせてもらえないだろうとも思いました。

――え⁉

富野　でも、アニメのプロダクションといってもいち企業でしかないんだから、別のところに行けばなんとかなるかなっていう甘い考えも少しはありました。でも、そういうところに自分の暮らしを賭けてしまうという僕の気質の問題があって、それは困りましたし、いまだに困ってもいます。

――そりゃ、困るでしょうね。

富野　だけど、僕流の言葉になっちゃうけど、遊びごとでやっちゃえという部分もありました。そう思わせてくれた要素のひとつはプロデューサーとして西崎義展[8]さんの名前が出ているということ。もうひとつがＢＧＭで「怪獣アニメにこういう音楽をもってくるってなんなのこれ？」という部分だったんです。

――ジャズピアニストの鈴木宏昌[9]さんがＢＧＭを担当したわけですけど、「なんなのこれ？」って感じだったんですか（笑）。

富野　それはそうです。本物のジャズですよ。怪獣物に。テーマ曲のほうもとんでもない歌手を連れてくるわけです。

——それって、かぐや姫[註10]のことですか？

富野　『神田川』がヒットする前だから、西崎さんに見る目もあったのかもしれないけど、それまでのテレビの仕事の枠を超えていたわけだから、僕のほうは……。

——こんなもん押しつけやがって！　的な。

富野　そうですよ、そのくらい強力なギャップのものを出していかなくちゃならない、ズルズルと怪獣を坊やがやっつけるみたいな話だけで済むわけねぇだろ、とは思いましたね。

——じゃあＢＧＭに関しては、曲がよかったことでスイッチが入ったわけですか？

富野　曲がいいとは思ってない！　だって作品世界にマッチングしている曲じゃないでしょ！　だから全部不協和音にしていかないと収まらないっていう確信論的な気分があったので、力仕事にしていったんですよ。当時、お二人と僕は一度も会っていないから出来たことです。

西崎義展という存在

——えーっ！　一度も会ってないんですか!?　どんなやり取りがあったのか興味があったんですけど、西崎さんは企画を持ってきただけなんですか？

富野　その企画も、制作が虫プロ商事[註11]のスタッフルームになっているということは全部そこが監修で、僕は西崎さんとも鈴木さん、かぐや姫とも一切コンタクトを取っていませんし、取る意味もありませんでしたから。

——西崎さんは「これが私の初のプロデュース作であり……」みたいなこと言ってましたけど。

富野　プロデュースしたのは事実だけど、現場には来ていません。『海のトリトン』の話はおよそしたことがないんだけど、あらためて、こういう体験をしなければ僕は『機動戦士ガンダム』は作れなかったと思い至りました。俗にいう嫌われ者の僕にとってみれば、『ガンダム』までモチベーションが続いたのは『海のトリトン』をやらせてもらったおかげだと回顧できます。『ザンボット3』、『ダイターン3』、そのあとに『ガンダム』という異質な作品が出来ていくのは、『海のトリトン』であああいう異種な組み合わせをドーンと持ってこられて不協和音を経験したおかげです。あれに比べたら、たかが知れているでしょ？

——西崎さんから無理難題を突き付けられたことに比べたら、一切問題ないですよね（笑）。

富野　この35年間、いつも『ガンダム』以後の話をさせられてきたから考えもしなかったけど、やっぱり『海のトリトン』の存在はすごく大きいですね。間違いなく総監督業をやりながら物語をコントロールすることのハウツーを『海のトリトン』で教えてもらったと思い出せます。同時に、アニメってすごいと思ったのは、あれだけジャズっぽいBGMでも、マッチングしたとは言わないけど、メディアミックスができるんだということは教えてもらったわけです。だからそれ以後、僕は総監督をさせてもらったときに、どんなものが来てもどうってことなかったと回想できますね。

――最初にこれを体験したことで（笑）。

富野　あれ以上のものが来るわけないからです。『海のトリトン』では、かぐや姫を使いこなすことができなかったけど、あそこで一度経験していたおかげで、それ以後は何があろうがおよそビビらないですね。今回の『Gのレコンギスタ』のオープニングでも外から2曲来たんだけど、ハウツーがあったから、制作環境がそうくるんだったら、こちらはこうしてみせるってやって見せています。

――『海のトリトン』の本放送はボクが2歳のときなんで記憶はほぼないんですけど、レコードは買っていて大好きだったんですよ。『GO！GO！トリトン』とか最高にいい曲だと思ってたら、あれがもともとオープニングテーマじゃなかったっていうことを後に知ったんです。最初は、かぐや姫がオープニングテーマでとか、でも噂だと、『GO！GO！トリトン』の映像の制作が間に合わなくて、最初はかぐや姫をオープニングテーマに使っていたっていうことでしたけど。

富野　それは逆だと思う。かぐや姫は西崎さんが使いたかったからで、こちらは押しつけられたわけです。なんで実写を使わなきゃいけないんだって腹を立ててましたもん。要するに、音楽のほうで金儲けしたい、それに乗ってきたレコード会社があるのね、アニメ枠だからナメられたと思いました。

――実際、アニメのオープニングで、歌っている本人出演はありえないですからね。

富野　そのあたりの素っ頓狂さっていうのを、おそらく西崎さんもレコード会社も含めて感じてないんだろうなと思いました。だってこれ、原作は手塚治虫の漫画なんだよって話が全部抜けているわけで、整合性をつけられるわけがない。第一、『海のトリトン』は一度は手塚先生自身が作ろうと思って、かなりスペクタクルなオープニングの試作ができていたんです。そういうものに、かぐや姫の曲を持ってくるってなんなの？　って話だし、原作の新聞連載漫画にスペクタクルな要素はどこにもないのに、なんでこんな原作ともマッチしていないオープニングを作るんだって思ったから、僕としては、「じゃあ原作を全部潰す！」って方向にいっちゃったわけです。

――ダハハハハ！　まあ、あきらかに原作の『青いトリトン』は途中で何度か方向転換してましたからね。

富野　作品になってないんですよ。当時仕事が多かったこともあって、手塚先生が何を描きたいのかわかってないっていうのがわかりました。

――手塚先生も『産経新聞』にスポ根的な要素を押しつけられたみたいですね。

富野　だから西崎さんから「なんとか『海のトリトン』を活劇ものにしろ」というコメントはありました。そうなると怪獣退治の話をやるしかない。それを1話完結でやっていかなきゃいけないんで、6人ほどのライターに順々に割り振りをして作っていると、打倒怪獣だけの話になっていくわけです。でも、トリトンという坊やはなんなのか、だけどピピとだったらセックスなんかできるわけがないから、お互いに興味なんか持てないよね、じゃあこれどうする？っていうのが全部未解決なままで話がすすめば、これは落とし前をつけようがないでしょ？

——ダハハハハ！　それでアニメ版だとトリトン族の女性は成長すると人魚から人間みたいな状態になるんですね。西崎さん側からの条件は他に何かあったんですか？

富野　スポ根物的にしろ、それだけです。それで、２クールの中頃で「視聴率がパッとしないから打ち切りになるぞ、どうする？」ってなったとき、ポセイドン族の親分を倒すだけで済むか？　っていう問題が起こった。いまの話で一番重要なのは、ＢＧＭがああいう曲だから、そこに走ることができたっていうのはありますね。音楽が無色透明なものだったら、ああいうエンディングを思いつかなかったでしょう。

——正義は本当に正義なのか、という。

富野　それは時代性でもあります。実存主義という哲学の気分がまだ残っていたんで、そこに行くぞってことになったのは間違いないですね。

アニメをＣＭにしないために

——『ザンボット３』もそうでしたよね。

富野　『ザンボット3』のときは初めからそれを予定としてやらざるを得ませんでした。どういうことかというと、『海のトリトン』で2クールの作品は短編のつみ重ねでしかやれないことがわかったんです。短兵急に話を進めて決着をつける物語にするにはどうするかと考えていくと、作品を作るうえで巨大ロボットはギミックとしてものすごく重いものなんです。巨大ロボットを使いながら巨大ロボットを消すためには、ものすごく強烈なコンセプトがないと消せない。ということで『ザンボット3』はああいう話にしたんです。だから『海のトリトン』もその前哨戦になったんだけど、『ザンボット3』のときに一番実感したのは、テレビアニメを仕事にしている大人っていうのはそういうことは一切考えていません。巨大ロボットというイメージを殺すために、「私はあれだけ過激な話を持ってきただけなんですよ」「富野は過激な話が好きなんだよね」っていうロジックになっているようですけど、全然違います。発想が逆なんです。

――みんなそこと闘おうとしてないということですか？

富野　巨大ロボットはしょせん、作品上の口実でしかないし、ギミックでしかない。スポンサーサイドに対してのエクスキューズでしかないけど、エクスキューズだけやっていると「作品」は作れないというのが僕の感覚です。宣伝媒体で、CMみたいなものなんだから、それを消すために『ザンボット3』でいろいろ確かめてみたら、結果的に『ザンボット3』は子供に見せるものじゃなかったということがわかりました。

――ダハハハハ！　子供が人間爆弾だのなんだの見せられたら人生観も変わりますよ！

富野　だから『ダイターン3』ではそういう話にしませんでした。明るい感じで、ちょっとお仕事に戻して。お仕事でやると、なぜか知らないけど1年間作らせてくれるわけだけど、これはこれでたまったもんじゃなくて、そんなに持たねぇよってのが本当のところです。当時、『ダイターン3』では、手を変え品を変え作ってみたけど、そんなのは2年、3年も続けられません。そういうこともわかったし、こうやって『海のトリトン』を起点に話をしていったら、『ダイターン3』までのことが全部一本の線上にあるのがわかります。それを考えたときに、BGMは作品のエンジンになりうるという意味では、音楽って素敵なものだなと思います。

――『GO!GO!トリトン』は名曲として評価されてますけど、どう思いますか？

富野　気に入っているから、それなりのオープニングにしたつもりです。

――絵が完璧にハマッてますもんね。

富野　それまでにかぐや姫があったから！

――その前振りがあるから（笑）。

富野　僕の場合はもうひとつ重要なことがあって、アニメのオープニング曲、エンディング曲はレコード会社、これはコロムビアさんも含めてなんだけど、この時代はまだ「学芸部」の仕事だったんですよ。つまりふつうの楽曲扱いじゃないんです。

――完全に子供のものだった。

富野　現に担当者もそういう人が来るので、困りました。これを突破するにはどうするかっていう部分から始まっているから、僕の詞のあり方も、そこから逃げ出すために七転八倒してきたということです。テレビアニメは、いろんなことが試せる媒体だとわかったときに、それは有効に利用していく必要があると思ったのも事実だし、学芸部離れをしていくなかで、『ガンダム』のときに一番うれしかったのは、「じゃあBGM、オケで録りましょうか?」ということをキングレコードの担当者が言ってきたときです。

それでお金になるんだなとわかる部分もありましたし、『ガンダム』のときは『スター・ウォーズ』のあとだったんだけど、僕にしてみると最低編成のオーケストレーションで楽曲を作るということをようやく、みんなが疑わなくなる環境を作れた。それ以後アニメの仕事をやってきた作曲者の人たちが世に出てくるようになりました。アニメという媒体では「ブルースからフルオケまで何やってもいいよ、こっちは巨大ロボットものなんだから」という部分で、作曲者はいろんな実験ができてたんです。アニメにはそれだけの器があるということです。だから僕にしてみると、『ガンダム』のBGMを担当なさった作曲者[註12]の名前を見ていただければわかるとおり、『ガンダム』をやったから大河ドラマにいけたというような流れができたのかもしれません。

作品と楽曲の戦い

――自分の作品のオープニングテーマに秋元康[註13]さんを起用みたいな、ああいうのはレコード会社が持ってくる企画なんですか？

富野　僕が持ち出したことなんて一度もありません。僕は業界事情をまったく知らない人間だし、もうひとつは知っちゃいけないとも思っていましたから。

――当然、やしきたかじん[註14]さんの起用もキングレコード側の選択だったわけですね。

富野　そうです。当時、たかじんさんが、東京まで来てくれたので一度だけお会いしたことがあるんですけど、会った瞬間に、「あの曲わかんないんだよね。一番初めの『♪ライリーライリー』って、あれなんだ？」って。「だけど谷村新司[註15]さんもＯＫしてくれたんだし、やってくださいよ」って。僕は、たかじんさんのことを知らなかったんです。その後、人柄がわかったときに、そりゃ言うよねと思いました。

――そうだったんですか！　でも井上大輔[註16]さんはすごいハマってた気がしましたよ。当時は大学が一緒だからって報道されてましたけど。

富野　それも脇の事情で、彼の起用に関しては全然違って、グループサウンズも落ち目になっていた頃で、「井上大輔が歌わせろって言ってます。キングレコードもいいって言ってます」「だったら歌わせてやればいいいんじゃない？」という話から始まっています。でも実際に何度か顔を合わせるうちに、向こうは同級生であるってことは知らないんだけど、僕は学生時代に何度か学内であの姿を見てるんです。ブルー・コメッツやってるからたまにしか来ない。だけど、来るときは必ず上下真っ白いスーツだから、そりゃ目立つ。

――大学にその格好で（笑）。

富野　うん。それで、クラスには来ないで、日大芸術学部の軽音楽部か応援団の溜まり場にいる。

――応援団にも顔を出してたんですか！　日大芸術学部の応援団っていうと、山本晋也[註17]さんがいた時期ですよね。

富野　フラッと来て、そこでなんか振りをやってるわけ。現役で活動してるとこうなのかって、指をくわえて見ているのが僕の立場だったんです。だけど、井上大輔が僕の作詞に対して「うん、これでいいよ、この詞でいく」って、1文字も替えないでやってくれたのは正直ありがたかった。プロが保証してくれたって。無理して『海のトリトン』の話に戻すわけではないんだけど、やっぱり鈴木さんのBGMを経験してるから、井上大輔がまっとうな路線に戻してくれている、みたいな気分がすごくありました。

――それだけ評価しているんですね。

富野　だって、『哀・戦士』なんて、詞を渡すとき「これ歌になる？」「なるよ！」というようなやりとりだったんです。作品って、制作に時間がかかるとか検討するっていう言い方があるんだけど、嘘ですね。いいか悪いかどっちかだから。「できる？」「できない？」がパッと来ない限り、作品は作れません。ストーリーにしても合議制で作っていくと責任が分散されて、作品もぼんやりしたものになるでしょう。

話し合わない力

――『海のトリトン』にしても、合議制だったらこんな結末にはなってないですよね。

富野　そういう意味では作品って、痩せても枯れても個人のものですね。だから僕は自分以外の『ガンダム』は一切合切観られないんです。

――また発狂しちゃうわけですね（笑）。

富野　今回の『G-レコ』のTV放送は深夜の枠だったから、ホントに惨敗だったし、駆け足で作って、こちらも体力負けしたっていう感覚がありました。つまり、発狂するにしても自分の体力をその作品に全部注ぎ込めるだけのスタミナがなければフォローできないんです。『G-レコ』での経緯を実感すれば、過去のものだから美しく見えるっていう部分もあるんだけど、監督として一応全部のカットに目配りがいっていた、自分の精液を振り撒いたっていう体感はあるんです。今回『G-レコ』では、それがときどき抜け落ちている感覚があるので盛り上がらなかったんでしょう。

――ちゃんと精液がかかってないってことですか？　監督のなかで一番ベストな感じで精液をかけられた作品というと何になるんですか？

富野　あるとは言えないな。ただこういう形での質問に限っていえば、結局ガンダムの映画版3本の時期でしょうねという答え方はできます。だけど、あれじゃダメなんだよね、なんとかしてその上をいかなくちゃいけないという宿題があります。とりあえずいまの時代でわかりやすい言い方をすると、『パシフィック・リム』と『アベンジャーズ』と『アイアンマン』を潰す、という言い方になります。

すべては『海のトリトン』から

――対象はそっちなんですね（笑）。当時、『宇宙戦艦ヤマト』のヒットによって『海のトリトン』の劇場版も作られたじゃないですか。あれ、どう思いました？　当然、何も知らなかったわけですよね？

富野　結果も知らないからお答えしようがないですね。現に僕は、（劇場版パンフを手にして）これ知らないもん。

――舛田利雄[註18]監督監修ですからね。

富野　とりあえずありものでなんとかしちゃおうっていう魂胆しかないから、それはダメだよねってことでしょ。『海のトリトン』は、オール新作でもう一度作り直すほうが初代よりうまくいくでしょう。『海のトリトン』がアニメの歴史のうえでとても重要なエポックメイキングになったことがあります。オンエアが終わって1年目だったと思うんだけど、『海のトリトン』ファンクラブが初めて東京の文京区の文京公会堂に集まったんです。そういうファンの集まりで初めて1000人を超えたのがこの大会なんです。

——いわゆるアニメのブームを作ったのは『宇宙戦艦ヤマト』だと思われがちだけど、実は『海のトリトン』だったんですよね。

富野　このときファンクラブの活動を始めた何人かが、その後の同好会とかファンジンを作っていく先駆けになった人たちで、「コミケ」の源流でもあるんですね。当然、やるほうもやられるほうも初めてのことで、戸惑いました。その集まりに行ったとき、ほとんどが小学校の高学年か中学生の女の子だったんです。「なんで好きなの？」って聞いたら、「ピピを核にして、イルカの親子が坊やを守らなくちゃいけない構造、つまりファミリー感がものすごくよかった」っていう言い方をされて、僕はすごく困ったんです。

——どうしてですか？

富野　アニメを観る子たちは、すごく平たい言い方をすると、家族愛に飢えてる子が多いんじゃないのかなと思ったからです。それ以後、アニメ関連のファンジンとかファンの集まりに馴染めないのは、そこに集まってる子たちにその匂いがあるからです。そういう意味でアニメという媒体の持っている特異な性能と同時に、そういうところにシンパシーを感じさせてしまうアニメの偏り感というのはなんなんだろう、と考えてきました。僕は『ダイターン3』の頃から、いろんな人たちに観てもらう作品にするっていうことをハッキリ意識した作り方をしていったんだけど、結局アニメオタクといわれている人たちだけを取り込んでいくような構造になってしまって、困ったもんだなと思っている部分がずっとあります。

——『海のトリトン』の女性人気は、ただトリトンのキャラがイケメンで、声優も塩屋翼[註19]さんだから的なものじゃなかった、というんですね？

富野　むしろルカの北浜晴子[註20]さんの母性としての肉感を感じさせるという部分が、女の子たちを集めたんでしょう。

——で、塩屋翼さんは当時14歳で、トリトンとほぼ同い年だから声もまだ子供でした。

富野　だからヴィヴィッドさが出ているという意味ではとてもいいことなんだけど、こういう子たちだけの集団にしてしまったという部分はあります。と同時に、『ガンダム』のときも人気を支えていたのは女の子たちの世代で、オンエア中に圧倒的な支持層になっていました。

——そこにガンプラ以降にできた層が重なっていく……。

富野　興行論的にいえば女性客を捕まえるのは絶対に正しいことなんだけど、これは女性客と言えるのかなっていう部分がずっとありました。そこを突破したいんだけど、いまだに突破できません。そういう人たちがアニメにある種のシンパシーを求めているのでしょう。それが現代までずっと続いているのは、あまり気持ちのいいことではないですね。

――そういうジャンルを作ったきっかけが『海のトリトン』だったとも言えますけど、かなり罪深いことをしてきたと思います？

富野　罪深いかもしれないけど、逆に言うと、癒しになっていたのかもしれないんですよ。

――結局、よくも悪くもいろんな人の人生を変えたのは間違いないと思いますね。

富野　もっといい形で影響を受けて、いい人生を送っている人もいるかもしれないですけど、そういう人たちはこの業界とか近くの業界にはいないでしょうね。

【註】

1／トラウマロボットアニメの元祖　2／「皆殺しの富野」の異名を轟かせた問題作　3／ジブリ新作なき後、日本テレビ期待の星として劇場長編を託された。この取材時には新海誠『君の名は。』は未公開　4／「アニメージュ」編集部在籍時のはなし　5／共に昭和16年生まれ。宮崎1月、富野11月なので学年はひとつ差　6／アニメーション音響監督の第一人者。2014年没、享年71　7／辻真先氏とは、その後『勇者ライディーン』で再度仕事をしている　8／故人。日本アニメ界一、毀誉褒貶と伝説の多かったプロデューサー。昭和9年生まれ。『「宇宙戦艦ヤマト」をつくった男　西崎義展の狂気』（牧村康正、山田哲久、講談社）を参照　9／愛称「コルゲンさん」　10／正確には「須藤リカ／南こうせつとかぐや姫」。『神田川』のヒットは翌年　11／複雑な経緯でできた会社　12／三枝成彰氏　13／『機動戦士ガンダムZZ』OP「アニメじゃない〜夢を忘れた古い地球人よ〜」、ED『時代が泣いている』を作詞　14／没後も話題は尽きない人物。「砂の十字架」歌唱。B面「スターチルドレン」は本人作曲で、作詞を担当した井荻麟は言わずと知れた富野監督の別名　15／『砂の十字架』の作詞・作曲を担当　16／日本一替え歌が歌われた『ブルー・シャトウ』などを作曲した「ジャッキー吉川とブルー・コメッツ」のリード・ヴォーカル担当　17／80年代深夜番組で「カントク」と親しまれた、実は恐い人　18／かつては箔をつけるため実写監督が劇場アニメに名前だけの監修で加わる例は多々あった　19／8年後『伝説巨神イデオン』ユウキ・コスモで再び富野アニメの主役に　20／オバケのQ太郎のママ、ウメ星デンカのママ、みなしごハッチの女王様、天才バカボンのママ、ガラスの仮面の姫川歌子など母性的な役柄多数

海のトリトン
COUnSeL
ToMInO!!

CHAPTER2
渡辺 宙明

渡辺宙明

わたなべ・ちゅうめい

１９２５年生まれ、愛知県出身。本名の読みはわたなべ・みちあき。東京大学心理学科卒業。クラシックの作曲を團伊玖磨氏などに、ジャズの作編曲を渡辺貞夫氏に師事。CBCのラジオドラマ『アストロボーイ』の音楽でプロデビュー。以後、幅広いアプローチで多数の作品に音楽を提供する。１９７２年『人造人間キカイダー』を手掛けて以降、特撮&アニメの世界を主な活躍の場とする。代表作は『マジンガーZ』『秘密戦隊ゴレンジャー』『鋼鉄ジーグ』『宇宙刑事ギャバン』『おれは鉄兵』『イナズマン』などなど書き切れないほど。

90歳超えにして現役!!

――初めまして！　ボクはこれまで１０００人近くの人をインタビューしてきたんですけど、宙明先生が最年長になります！

渡辺　そうですか。まあ、作詞作曲家で現役では私が最高齢だと思うんですけどね。

――それ以外のジャンルを含めて、奇跡的なレベルだと思いますよ。90歳でこれくらい元気で現役な人は聞いたことないです！

渡辺　私も、もう90歳ってちょっと考えるとおかしいですよね。自分でその自覚がないんですよ。実感としてはまだ60歳ぐらいのつもりなんですけど、数えてみると90歳、これは仕方がないな、と。ホントにそうなのかな、なんて思うこともありますよ。

――ボクはいま45歳だから倍ですよ！

渡辺　ああ、倍ですね。若いときのこと考えても、90歳になりゃもうダメになってるだろうと思ってたけど、自分ではそういう感じはしませんね。まだこれからやるぞっていう気はありますから（キッパリ）。

――先日の卒寿記念演奏会[註1]とか、90歳にしてステージに立つという感慨はあります？

渡辺　特にはないですね。たとえば足腰立たなくなって、車椅子から持ち上げられて出るなら、それもあるでしょうけど、わりとピンピンしてますから。よく考えりゃ、すごいことだなと思うことはありますよ。

――すごいことですよ！　でも、その自覚は宙明先生には全然ないんですね（笑）。

渡辺　よく考えないとわからない（笑）。

――90歳になったからこそ見えてくるものとか、わかってくることってありますか？

渡辺　私は最近あんまり音楽の勉強はしてなくて、やっぱりその前にある程度のことがわかっていたいから経済、政治、それから戦争の問題とか原発の問題とか、いまはそういう本を読むことが多いです。それと、まず健康。健康は一番気をつけてます。

――気を遣うと言いつつ、ステーキも食べているみたいな噂も聞きましたけど……。

渡辺　いや、だからステーキを食べなきゃいかんのですよ！　医者もみんな間違えてる。肉を食べる人が長生きしているっていうデータが、ちゃんと出てるんですよ！

――ダハハハハ！　確かにご高齢の元気な人って、肉ばかり食べてるんですよね。

渡辺　それは専門家がたくさんの人を調べてデータが出ているの。たとえばコレステロールが少ない人は早く死ぬんですよ。脳卒中もコレステロールが多い人のほうがなりにくい。だけどふつうのお医者さんは昔習ったことがこびりついてるから、そこまで知ってる人は意外と少ないんですね。だから「玉子の黄身はやめなさい」とか言うんだけど、玉子の黄身に一番いい栄養があるんだから！　もちろん脂は摂りすぎたらよくないけど、脂が足りない人が多いんですね。だから、糖質制限して、たんぱく質と脂をしっかり摂る、野菜ももちろん摂りますけど、それは二の次ということで。

――自分なりに考えているわけですね。

渡辺　自分なりというか、データで調べた上でやってるね。しかも自分に関わることですから、それはやらざるを得ないというか。周りの人が糖尿病だの認知症だの苦しんでるじゃないですか。そんなふうにはなりたくないな、と。家庭医学の本っていっぱいあるでしょ。昔ながらの理論でやってるのもあるけど、そんなのは読まない。軽く読んでほっぽっとく。最近のたくさんのデータで研究したものを読んでますから。

――本当に各方面で研究熱心ですよね。

渡辺　凝り性なんですね。凝り性だから作曲家になったっていうところもあるかもしれませんが。音楽は、あるときにハーモニカを吹いていて、それでなんとなく映画音楽家になりたいな、と。作曲家、しかも映画音楽の作曲家になりたいと思ったんです。

――映画音楽をやりたかったはずが、どんどん方向としては幅広くなっていって。

渡辺　映画音楽家になりたいと思ったんだけど、最初はテレビのない時代でしたからラジオドラマの仕事をやって。まさかアニメをやるなんてことは思ったことなかったですけど、結果的にアニメ、特撮をやったために非常によく受け入れられた。やっぱり大人のドラマの音楽っていうのは控えめにして、作品の邪魔しないようにしながら盛り上げるもので、直にパッとアピールするような音楽は使えないんですよね。

——個性を出しにくいわけですね。

渡辺　ええ。ヨーロッパ映画なんかだと美しいメロディで映画を盛り立てるようなもの、たとえば『太陽がいっぱい』[註2]なんかはアラン・ドロンの殺人のドラマだけど、最後に哀愁を帯びたメロディが流れるとものすごくいいっていう感じで。ただ、そういうのは日本映画ではやらないんですね。

——意外にも、そういう冒険ができるのがアニメや特撮だったってわけなんですね。

渡辺　そうそう。たとえばアクションものでも大人のアクションものではあんまりいろんなことできないんだけど、アニメだと、それこそ血沸き肉躍る、ディスコ調の踊りたくなるようでありながら迫力のある、そういう曲を目指したことが多いですね。

——テンションが上がるものであればジャンルはなんでもいいって世界なんでしょうね。ディスコだろうがテクノだろうが。

渡辺　そうですね、テクノは特に使わないけど、シンセはある程度使いましたんで。

——『電子戦隊デンジマン』[註3]はボクにとって、ほぼ最初のテクノ体験でしたよ！

渡辺　そうそう、あれは電子戦隊だから意識しましたけどね。私の場合は子供向けの娯楽作品で、それだけに思い切ったことができるという。私自身はバラードの美しいメロディというものがホントは心の底にはあるんで、それもチャンスを見てときどきやってるわけですけど。このヒーローもの、ロボットアニメというのはいろんな音楽が入り込めて、やっていても楽しいですね。

時代を変えた宙明ソング

――70年代ぐらいだとアニメや特撮の音楽は、ほぼ渡辺宙明先生の独占と言っていいぐらいの状況だったわけですけど、それだけ同じ時期に同じジャンルの音楽をやると書き分けるのもたいへんじゃないですか？

渡辺　書き分けに苦労したということはあんまりないんですけど、何しろ曲数が多いですから、次から次へといいものを作っていくのはなかなかたいへんでしたね。

――とりあえず企画書とかを見て、そのイメージに沿って作曲する感じなんですか？

渡辺　ええ。まず打ち合わせの段階で、企画書があって台本も2、3冊できてる。まず主題歌を作らなきゃいけないけど、いま作詞家に詞を頼んでる、と。詞ができたら主題歌を作って、BGMの打ち合わせはもう一回やるわけですよ。そのときは選曲者って人がいて、その人がいままでの経験から、このドラマにはこれだけの曲が必要だろうっていう音楽リストを作ってくれる。スタッフはそんな細かいところまでは指示できませんから、そのドラマの精神を述べられて、絵を見せられたり、ストーリーのここをよく考えたうえで作ってくれとか、そういう程度の話しかできないですね。

――それでなんとかなるものなんですか？

渡辺　うん、なんとかしないといけない（笑）。それ以外の、プロデューサーもＢＧＭの打ち合わせには来ません。選曲者と録音技師と３人でやることが多いですね。

――話もそんな先まで決まってはいないだろうし、なんとなくで作るわけですか？

渡辺　そうそう。経験からね。だいたいこういうシーンが出るだろうっていうことで。たとえば戦闘機が飛んでて、味方が優勢な場合と、ちょっとやられそうな場合と、それから敵の襲撃とか忍び込みとか。私はシリーズを続けてやってましたから、足らなきゃ前のを使えばいいというのもあって、選曲者が「あれ、なんか変なの使ったな」っていうことはありましたね。あと、新しいメロディを一生懸命考えたら、結果的に前と同じになったことに気がつかないでやっちゃったことはありましたね。

――それは誰かに指摘されたんですか？

渡辺　いや、誰もしないです。あとで「しまったな」と思うけど、録音しちゃったし、著作権が他の人ではないから（笑）。

――自分の関わった作品を客観的に見て、個人的に好きなのはどれなんですか？

渡辺　これは一口に言えないですね。すべてだいたいはいいですから。大人が観て面白いかどうかわかりませんけども、ヒットしたのは『秘密戦隊ゴレンジャー』[註4]。これは変わったドラマで、かなり印象に残ってます。それから『人造人間キカイダー』[註5]っていうのは、一番最初にやった特撮で。

——比較的大人向けな感じでしたよね。

渡辺　そうなんですよ。ロボットに人間性がある、みたいな話で。挿入歌なんかも、なんとなく哀愁をおびた詞が多くて、自然とメロディにも哀愁が帯びてきましたね。いま聴いても、私のいまの曲にない何ものかがあるなっていうところはありますよ。それから作品として画期的だと思ったのは、宇宙刑事シリーズ[註6]。宇宙の警察ですから、これは頑張らないかんなっていうやりがいがあるなという気はありましたね。

——あれも比較的大人向けでしたしね。

渡辺　そうそうそう。

——ご自分の作品以外のアニメとか特撮でハマッたものっていうと何かありますか？

渡辺　いまパッと出てこないですけどね。

——たとえばほかの作品で、この曲はいいなって思うことも当然あるわけですか？

渡辺　音楽に関してはディズニーの『ピノキオ』の『星に願いを』[註7]っていう主題歌がものすごく好きで、ときどき頭のなかで歌って楽しんでるということはありますね。それからアメリカ映画の『スパイ大作戦』、『ミッション：インポッシブル』[註8]のテーマは素晴らしいと思います。ああいう境地にいきたいなっていう気はありますね。

——日本のアニメや特撮で触発されることはほとんどないって感じなんですかね。

渡辺　アニメ、特撮で触発されたっていうことは……特にないですね。それぞれいいんだけど、僕だったらもうちょっとここは、っていうところはありますね。僕の音楽が完璧なわけではないんだけど、僕の見方っていうのはありますから。そのシーンに合う合わないじゃないんですよ。僕の好みの曲が少ないという。最近のアメリカ映画を観てもSE中心で音楽を控えめに使っているから。J－POPもいまの歌のたいていのものは、僕の好みには合わないんですよ。でも、中にはいいものもあって、結局、古い感じのものがいいというか、たとえばAKBでもいい曲はありますよね。

――ああ、たまにいい曲がありますよね。

渡辺　たまに。つまらんのもあるけど。

――やっぱり『恋するフォーチュンクッキー』とかですかね、いいと思ったのは。

渡辺　それとか、私が一番いいと思ったのが『Ｅｖｅｒｙｄａｙ、カチューシャ[註9]』。

――えっ！　そっちなんですか！

渡辺　そうです（キッパリ）。あと『真夏のＳｏｕｎｄｓ　ｇｏｏｄ！』とか……。

――意外ですね、もっとオールディーズ系の曲を評価しているのかと思ってました。

渡辺　あ、オールディーズっぽい曲はダメですね（あっさりと）。あれだって少し古いっちゃ古いんですよ。だけどオーソドックスにちゃんと作ってるから、メロディがいい。いまの曲はコード進行は新しいけど、リズムの上に何か乗っかってるようなメロディもあって、それがある程度売れてるっていうのは私にはわからないですね。

あふれてる名曲たち

――いまの音楽番組もちゃんと観てJ－POPの研究をしているみたいですよね？

渡辺　たとえば『ミュージックステーション』[註10]なんかは一応全部録画して、全部観るかどうかはわかりませんが、だいたい傾向を探ってます。だけど、これが気に入ったっていうのはそんなにはないですね。いまブルーレイのデッキを同時に3番組録画できるので、いろんなのを録画してますけども音楽番組はそんなにないですから。

――J－POP的なジャンルで、これはと思ったグループとか人とかいました？

渡辺　急にパッとは出てきませんけども。

――ここ20年ぐらいでもいいです。

渡辺　もっと前だと昔の井上陽水とか、あのへんは好きですね。あとはユーミン、竹内まりやとか、あと山下達郎ですよね。

――手堅い人選ですね（笑）。アニメや特撮の主題歌の変化についてどう思います？

渡辺　それは概論的に述べるのは難しいんですけども。だんだん変わっていったのか、ある時点からガラッと変わっちゃったのかわかりませんが、最近のアニメ、特撮の音楽、特にいまだと戦隊もの、あるいは『仮面ライダー』の主題歌だけ聴いても、ちょっと僕の好みではないですね。そのへんが、どうなってるのかなっていうことを知りたいなっていう気はいつもあります。

——昔みたいな熱い感じの主題歌って、もう成立しにくくなっちゃったんですかね。

渡辺　そうそう、熱い感じがないし。たとえば、こないだやってた『仮面ライダー』なんかは、なんとなく野性味があるけど燃え上がらないような感じで。ただ、私は最近のものはあんまり追究していないんですよ。いまでも聴くとすればクインシー・ジョーンズ[註11]とか、ああいう音楽がいまわりとないんで、もうちょっと調べて、あそこから何か引っ張り出せないかと思ってます。

——昔のアニソンって、音楽的な幅広さが異常だったと思うんですよ。ジャズからサイケから何から、子供に何を聴かせてるんだっていうレベルの曲がいっぱいあって。

渡辺　そうそう。私も、子供番組だからといって子供っぽくしたくないと思っていた。プロデューサーは「子供のもんだっていうことを意識はしておいてくれ」と言っていたけど、そこであんまり子供っぽくしちゃうと後々どうなるか。すでに初めの頃からファンはついていたんです。電話がかかってきて、「私のところに遊びに行きたい」と言ってくるような。それは20歳くらいのファンで、『キカイダー』やってしばらくしたら来ました。一生懸命聴いてるのはそのへんで、子供っていうのはわからないからね。

――ただ、音楽的に攻めたとしても意外と子供にもちゃんと届くと思うんですよね。

渡辺　その前に国際放映[註12]で『忍者部隊月光[註13]』っていうのが大ヒットして、周りの子供たちが私の作った曲を歌いながら遊んでる情景を見て感ずるものはありましたけど、あれだって子供っぽい歌じゃない、難しい歌なのに、なんとなく歌っていたから。やっぱりそれなりにちゃんと作れば童謡っぽくなくてもいいんだろう、私は童謡っぽいものは作らないっていうことでやりました。最初に『キカイダー』の注文がきたときも、レコード屋で当時出ていたものを試聴させてもらったり買ってみたりして聴いてみると、こんなんじゃないな、と。そのなかにはもちろん『仮面ライダー』も『ウルトラマン』も入ってましたけど。

――違うやり方があったわけですね。

渡辺　その頃はロックはもう入ってきてましたからね。私が映画音楽を始めたのは昭和31年だったと思うんですけど、その頃はロック自体が日本にはない。ジャズは、もちろんずっと前からあって。ジャズなんか最初のうちは習ったことないんだけど、「これジャズでやってくれ」と言われて。そうすると、自分なりに覚えたやり方でメロディ書いて。で、ジャズの人を呼んでくれって言うと、松本英彦[註14]とか一流が来たんですよ。それから渡辺プロの元社長の渡辺晋とシックス・ジョーズ[註15]がやってましたね。それは新東宝[註16]で始まった頃ですね。

――習ったこともなくても、ジャズってなんとなくできちゃうものなんですか？

渡辺　僕の場合はなんとなくできました。

──これは素朴な疑問なんですけど、ジャズとかいろんなものを学んできた人がアニメとか特撮の子供向きとされるものを主戦場にすることに複雑な感情はありました？

渡辺　複雑ではないんですけどね。その前から東映と仕事してまして、大人のドラマも映画もやってました。それで仕事がちょっと減ったとき、東映に「何か仕事くれ」と言って、もらったのが『キカイダー』だったんですね。僕は大人のドラマがやりたかったので、そのときは「なんだ、子供のものですか」と思いました。だけど担当者は、「何を言ってるんだ、子供のもののほうがいいんだよ、売れるんだよ」と。

──ダハハハハ！　真理ですね（笑）。

渡辺　たしかにそれでよかったんですよ。それやったから今日があるわけで。大人のドラマやってたら、誰も知らないことはないけど、いまみたいにはならないでしょ。

──知る人ぞ知る存在みたいな感じで。

渡辺　だいたいそうじゃないですか。池野成[註17]さんみたいに映画音楽でいい仕事した人でも、それをコンサートでやるチャンスなんてないですもんね。そういう意味ではアニメ、特撮をやってたっていうのは非常によかったし、こないだのコンサートでもお客さんのほうが燃えてくれましたしね。

──お客さんがみんなソラで歌えるのって、そういうジャンルならではですよね。

渡辺　そうですね、みんなソラで歌ってましたからね。ツイッター検索すると、みんな「宙明先生の指揮で歌えたのがものすごくよかった」ってダーッと並ぶわけです。最近、書き込みがものすごく多くなって。

――ツイッターでも検索してるんですね。

渡辺　うん、チェックすると参考になるじゃないですか。参考というか確認というかね、まだいいんだなと思って（笑）。ネットはわりと早くから。ウインドウズ95のときに70歳過ぎてやってましたからね、その前もパソコン通信やりましたからね。

――自分の名前で検索してみて、宙明先生レベルになると批判はまずないでしょうけど、反響があるとうれしいものですか？

渡辺　やっぱり、それは大きいですね。いまでも関心持ってくれる人がいるんだな、やっててよかったなっていう気がしますね。長生きしなきゃいけないなっていう。

――そうですよ！　先日は長生きした結果、お孫さん（芸術家アイドルユニット・ナマコプリのマコ・プリンシパル）との共演まで遂に実現したわけですけど。

渡辺　ああ、そうでしたね。あれは私の本意じゃないんだけど（あっさりと）。

――そうなんですか！　でもボク、お孫さんの存在は知ってて、ふつうに音源も買ってたんで、むしろこの関係を知って驚いたんですよ。共演してみてどうでしたか？

渡辺　どうと言われても、なんとも答えようがない（笑）。孫の曲も1曲作ったけど、もう1曲書かないといけないんですよ。あれはリーダーというか、女神っていうあだ名の作詞家の人がいて、いままでの曲をＣＤ化したいとソニーに申し込んだら「おじいちゃんの曲ならしてあげる」と言ったんで、僕のとこに頼みに来たんで。

——そういう理由だと、お孫さんとの共演にそれほど感慨深さもなさそうですね。

渡辺　感慨深さはないですね。ただ、自分自身が90歳になってこうやってコンサートで祝っていただけるっていうのは、たしかにうれしいですよ。昔の考えで言えば、90歳になりゃだいたい引退してる人が多いだろうっていうけど、でも90歳以上で小説書いてる人もいるらしいですね、世界には。

——意欲って衰えないものなんですかね。

渡辺　意欲は衰えないけど、若いときほどのエネルギーはないから疲れやすいので、それを克服しないと。それには睡眠を十分取るということですかね。ただ、こういう話をするのはわりと疲れないんですよ。

研究心が止まらない

——すごいですよね。この前、90歳記念のニコ生を観てても思いましたけど、いくらでもしゃべれるし、疲れ知らずだなって。

渡辺　ええ。作曲するときはいいメロディを作ろうと思ってグーッてやると、１時間もしたらガックリきちゃうんですけど、こういうときは気楽に、知ってる範囲でしゃべればいいから。何か創造するっていうことはないですから、やりやすいんですよ。

――ファンサイトでも5時間のロングインタビューを受けてて衝撃を受けました！

渡辺　ああ、インタビューが終わってからも雑談で、夕方の4時頃見えても帰りは夜の11時とかになってってね（あっさりと）。

――しゃべるぶんにはいくらでもイケる。

渡辺　いくらでもイケますかね。特に雑談が好きで、たとえばね……（以下、時節柄デリケートな雑談が続いたので削除）。

――90年間生きてきた実感として、どの時代が一番よかったっていうのはあります？

渡辺　いまがいいんじゃないですか？　いろんな経済的な問題もあるけど、よその国はもっとひどいっていう話もありますからね。アベノミクスで思ったようにいかないといっても、よその国だって思ったようにいってないですから。そっちのほうも、いろんな人の意見を聞いてみたいけど、キリがないんですよ。本の山になっちゃって。

――研究熱心なのは昔からなんですか？

渡辺　そうですね。大学は東大の心理学に入ったんですよ。初めは音楽家になりたいんだけど、音楽家になり損なっちゃいけないんで、その滑り止めに大学に入って。

――滑り止めで東大！

渡辺　親父も「作曲で食えるとは限らんじゃないか。大学出てりゃなんとかなるんだから、とりあえず大学受けろ」って言うんで、じゃあということで。私はもともと旧制高等学校では理科だったんですね。理科に近いもので文化（系）だとすると心理学がある。心理学で音楽のほうにタッチすることができそうだっていうのを、ある本を読んで知ったものですから心理学に入った。ところが東大の心理学っていうのは実験心理学でまったく理系なんですよ。文学部の地下全部が実験室。部屋がたくさんあって。そのなかに音響室もありまして。それは作曲には役に立たないけど、自分の頭のなかでは、整理をするのに役に立ちましたね。

——心理学のベースがあると違いますか？

渡辺　科学的な思考力がつくというか。心理学っていってもふつうの心理学じゃなくて、人の心理を読むということはやらないんです。ただ、ものを科学的に統計取って実験して。たとえば、ドとソのあいだの音程があって、5度っていうんですけど、これが振動数の比でいうと2対3なんですよ。2対3の比がどうして5度に聴こえるんだ、と。脳を調べてみると……（以下、本格的な話になりすぎたので大幅に略）。その研究はホントにのめり込んでました。

——ただ、いくらのめり込んでも決してビジネスにならない匂いがしてきますね。

渡辺　うん、ビジネスにはなりませんね。いまでも健康とか政治とか、そういうのはビジネスにならないけど、なんか知らないけど首を突っ込んでおきたいんですよ。

——音楽をやる上においては、食べるっていうのがまず念頭にあったわけですか？

渡辺　いや、音楽が好きだから、好きなことで食べたいっていうことですね。だけど音楽で食えないんじゃ困るから、それにはどうしたらいいか。初めのうちは監督の好みに合わせて、しかも音楽も自分なりに納得のいくレベルで書かなきゃいけないし、アニメの場合はウケなきゃいけない。食べるのが目的じゃないけど、結果的には好きなことをやりながら食べる方向に行くという。いまでもそこは変わりませんね。

――たとえば最初、『キカイダー』のときに「子供のもののほうが売れるんだよ」って言われたってことでしたけど、売れるか売れないかっていうのは常に考えます？

渡辺　考えますね。非常にいつも考えます。音楽がよくても売れないものもあるけど、作品がヒットしないと売れない。作品がヒットしたものは売れるけども、でもいい歌だとやっぱり会場で演奏したときの盛り上がり方が違いますよね。たとえば私がやる前の頃の子供の番組で『月光仮面』なんかは歌も人気だったんだけど童謡調で、「♪どこの誰かは知らないけれど」って、それはみんな子供のときは歌ったけど、いまそれをコンサートでやってるっていうのはあんまり聞いたことないですよね。

――聞かないですね。みんなソラでは歌えるだろうけども、歌っても熱さがないし。

渡辺　そうそう、童謡調で、それはそれなりにできてるんだけど、やっぱり大人になるとあんまり歌う気がしないっていう。僕の場合は初めからヤング層も聴いてるということで、大人も楽しめるようにやってるうちに、ますますそうなってきましたね。

——自然と主題歌ではロック調が増えて。

渡辺 ええ。それ自身も好きですから。

いつまでも全身作曲家

——好きなロックとかはあったんですか？

渡辺 好きなロックといっても、向こうのＬＰもずいぶん買いましたけど、なかなか参考になるものってあんまりないんですよね。息子はロックが好きで、彼が高校のときには家にロックのレコードがたくさんあって、それこそ、レッド・ツェッペリンとかシカゴとかね、あのへんのＬＰはずいぶん聴いてみたけど特に参考にしようという気はないですね。ハードロックってメロディがあんまりないじゃないですか。僕の場合、メロディがあって、しかもパンチが効いてカッコいいものにしたいわけだから。

——作曲家の團伊玖磨[註18]さんと師弟関係だったわけですが、どんなことを学びました？

渡辺 その頃はいまの東京藝大が東京音楽学校っていったんですけど、そこの声楽を出た人に「作曲家になりたいんで、誰かいい先生知らない？」と言ったら、團さんを紹介してもらって、東大に入ったときに習いに行ったんですよ。ただ、いま考えて、そのレッスンが特に有益だったかどうかはわかりませんけどね（あっさりと）。

——ダハハハハ！　そうなんですか！

渡辺　クラシックの基礎はハッキリ言うとあんまり役に立たない（あっさりと）。もちろんある程度、和音の積み重ね方とか基本的なことはいいんだけど、そのあと進んでいくとね。團さんのとこはほどほどのとこでやめたから、それはそれで役に立ったんですが、ほかの先生にもついたことがあってね。その人はがんじがらめになってて、「なんでこれがいけないの？」っていうと、「この場合はこうだ」って、答えがひと通りしかない。それやるとメロディの発想力が逆に弱まりますね。それが、ジャズを習ってからもっと自由になって、初めて解放されたような気になりましたね。その前は、こういうメロディだとここのハーモニーが合わないからいけないとか、非常に制約されたなかでやってましたから。

——現在90歳で現役なわけですけど、この先どうしてもこれだけはやっとかないと死ぬに死ねないみたいなことってあります？

渡辺　もうそういうのはないですね。もうちょっとやりたいな、もうちょっと新機軸を出したいなっていう気持ちはあります。

——まだ新機軸を出したいんですか！　たとえば、お孫さんがそうなのもあるし、アイドルの曲を書いてみようとか思います？

渡辺　そういうことはないわけじゃないけど、やっぱりある程度まで名を成したというかアクションものの専門家っていう思いがあると向こうのほうでイメージが狂うから、出そうとしないんですね。『プリキュア』[註19]なんかも挿入歌を書いて、決して評判は悪くないんだけど、それから頼みに来ないし、こっちも売り込みにも行かないし。

――つまり、やる気はある!

渡辺　はい。ひと頃、テレビ朝日さんもアイドル歌手を養成して売り出したいっていう話があったけども、結局やってもいいよと言っても向こうも考えちゃうんですね。

――そういえば、ちょっと前にネット上でSKEの曲を宙明先生が書いたらしいっていうデマが流れたのは御存知ですか?

渡辺　そうそう、ネット上に「作曲・渡辺宙明」って出ちゃったの。『不器用太陽』っていう曲で、「作詞・秋元康、作曲・渡辺宙明」って出ちゃったんですよね。

――最初、これは奇跡だと思いましたよ。

渡辺　あれはいったいなんだろうと思ってね。それでエイベックスにも問い合わせたけど「知りません」と。結局、秋元さんのプロダクションが現場を握ってるから、エイベックスは窓口だけで何もわからないんですね。あれは誰かのイタズラですよね。

――自分で確認もしていたんですか!

渡辺　あれは驚きでしたけどね。

――そのデマを現実にしてほしいというか、アイドル仕事もやってほしいですよ。

渡辺　ああ、そうですか。アイドルの曲もいろいろ聴いてるんだけど、これは僕でもできるなとは思いますね（あっさりと）。

——ダハハハハ！　さすがです！

渡辺　ただ、あっちのジャンルの曲は、感動するような曲ではありませんからね。快い、AKBのなかの名曲に匹敵するようなものにしてみたいなっていう気はあります。どの程度やったらいいかっていうのは、いまは非常に難しくて。「なんだ、こんなのでいいの？」っていうのもあったりして。それから……タナカヤスユキさんですか？　Ｐｅｒｆｕｍｅとかをやってるのもあったりして。

——中田ヤスタカさんですね。

渡辺　彼の書いた曲なんかは簡単だけど評判が良かったりしてね。踊りのほうもなかなか垢抜けたデザインでやってて。ディズニーの名曲をアレンジして合わせたのがあって、これはよかったですね。ただ、彼のメロディに関しては、やっぱり僕はあんなふうに思い切ってはできませんけどね。何がいいかっていうのがわからないです。

——宙明先生がアイドルに曲を作ったらどういう曲が上がるのか楽しみになってきましたよ！　とまあ、そんな感じで……。

渡辺　あ、こんな程度でいいんですか？

——まだまだ話しますか（笑）。じゃあ、せっかくなのでもうちょっと続けます！

【しかし、文字数の関係で大幅に削除】

オファーがあれば即参上！

――いま思い出したのが、秋元康さんのデビューは『とんでも戦士ムテキング』[註20]の挿入歌『タコローダンシング』なんですよ。

渡辺　そうなんですか。『ムテキング』は、ＢＧＭが別の人で、主題歌、エンディングは私がやったんですよね。……あ、そうだそうだ、秋元さん、知ってる知ってる！　それも私が作曲したんですよね。

――そうです。すでに2人は組んでいたという。さっきアイドルの曲もやれるって話もありましたけど、たぶん音楽だったらどんなジャンルでもやれるんでしょうね。

渡辺　まあ、できると思いますけどね。オファーが来ないだけの話で。やっぱり、自分で売り込むっていうのは、もう……。

――さすがに90歳でそれは（笑）。

渡辺　だからオファーが来たらやりますね。こないだ『俺、ツインテールになります。』[註21]っていうアニメの挿入歌をやったんですけど、これはいきなり電話かかってきたんですよ。ストーリーを聞いて、「え、こんなの？」って思ったけど、無事やりましたし。とにかく、いまは音楽をやっててよかったな、長く生きてよかったなという思いはありますね。何しろやってる最中は無我夢中で、仕事が途絶えたら良えないなということもありまして一生懸命やったら、世の中が変わってIT時代になったでしょ。そうすると音楽がどうしても必要なものとして、仮にゲームだとかパチンコだとか電話の着信音。そうやって使われる範囲が広がって。アニメ、特撮ものって、そういう人たちも好んで使うんですよね。ですから収入面でもそう悪くないという。

——CDが売れなくなった時代だけど、それはそれで音楽は必要とされてるという。

渡辺 そうそうそう、媒体が増えたから。

——長生きしてよかったですね（笑）。

渡辺 そういう感じはありますね。死んじゃうと、だいたい忘れていかれちゃうんです。コンサートでも日本の場合はお客さんが入らなくなる。日本人の作曲家で、死んだ作曲家を偲んでやる音楽会なんてほとんどないですよね。長く生きてると印象も強く残せるから（笑）。作曲家は短命な人が多いように思います。だいたい60代、70代で死んでる人が多いですから。僕は95歳ぐらいまでは生きると思いますね。

——今日はありがとうございました！

渡辺 ……こんな程度でいいんですか？

【註】

1／２０１５年８月30日、昼夜２回のコンサートが開かれた　2／ルネ・クレマン監督作。ホモセクシャル映画として故淀川長治氏が絶賛した　3／ＯＰ・ＥＤ曲の作詞はともに小池一夫　4／今では公式に「スーパー戦隊シリーズ」の第一作とされている　5／前半のメイン脚本は伊上勝、後半は長坂秀佳　6／ギャバン、シャリバン、シャイダー三部作　7／アメリカ映画協会による米映画主題歌ベスト７位　8／『スパイ大作戦』は１９６７年テレビ版放送時の邦題　9／ほとんどのメンバーがすでに卒業　10／初代司会者は関口宏　11／作曲した『鬼警部アイアンサイド』の主題歌のイントロはバラエティで多用されている　12／もとは㈱新東宝　13／原作はタツノコプロの創始者・吉田竜夫　14／テナーサックス奏者　15／渡辺プロダクションの創業者・渡辺晋や中村八大などからなるバンド　16／１９４８年設立、１９６１年倒産　17／作曲家。『氷点』『白い巨塔』など　18／でんでんむしむしの『かたつむり』や『ぞうさん』も作曲　19／シリーズ第一作『ふたりはプリキュア』挿入歌を担当　20／１９８０年９月からフジテレビ系で全56話放送　21／２０１２年６月から全12話放送。その後、２０１７年にテレビアニメとしては『アクションヒロイン チアフルーツ』に参加

CHAPTER3

松本零士

まつもと・れいじ

松本零士

１９３８年生まれ、福岡県久留米市出身。本名・松本晟（あきら）。

小学生の頃から絵を描き始め、１９５４年『蜜蜂の冒険』でデビュー。

初期には少女漫画誌で多く活躍したが、「少年マガジン」で描いた『男おいどん』が人気となる。

その後、戦場まんがシリーズや宇宙を舞台にした『銀河鉄道９９９』や『宇宙海賊キャプテンハーロック』などがアニメ化され、70年代のアニメブームを牽引する存在に。

２００１年紫綬褒章受章、２０１０年旭日小綬章を受章。

２０２０年１月25日、零時社オフィシャルサイト【http://leijisha.jp/】がオープン。

気合を入れなきゃ

――最近、新谷かおる先生[註1]の取材に行って、松本先生のアシスタントをやっていた時代の話を聞いて衝撃を受けたんですよ。

松本　新谷も近くに住んでいるけど、車マニアで地下にガレージを作ったんですよ。そしたら台風が来て、集中豪雨で、地下室で自分の車がプカプカ浮いているって（笑）。

――新谷先生が松本先生に言われた話として、「線は腰で引くんだ」「定規を使うな」っていうのがあったそうですけど。

松本　うん、気合いを入れなきゃいけないですから。あと、冷たい絵になるから定規を使っちゃいけないですよ。それぐらいは自由に描けなきゃいけない。コンパスも、あんまり使いませんね。地球なんか描くのも、いまでも手描きでまず描いてますね。四角も、ほぼ直角のを描けますから。

――ヤマトとかの丸いメーターとかも全部フリーハンドで描くみたいですよね。「女の太ももとか胸を描くのにおまえは定規を使うのか！」と言われたって聞きました。

松本　そういうことです。そりゃあ、定規やコンパスを使わないと描けない絵もありますよ。ただね、情感というか感情というか思いが線に入るわけですよ、姿勢というか圧力でね。だから手で描いた絵がみんなの心を打つのは、それを描いた画家の思いがこもるからなんですよ。

ＣＧが冷たいのはそのせいですよ。しかしいまは恐ろしいですな、ＣＧで人の顔も入れ替えられるし、映像があっても、現実かどうか、信用できないわけです。いろいろな実験やっていましたけど、隣にいない人がいるようにできるんですよね。

――新谷先生から聞いた伝説を確認したいんですけど、『プレイコミック』[註2]で描いていた『宇宙海賊キャプテンハーロック』が雑誌の発売日の朝4時に仕上がったってことがあるっていうのは本当なんですか？

松本　うん、そんなこともありましたね。

――本当にあったんですね！

松本　徹夜徹夜徹夜で、しかも連載10本ぐらい持っていたこともありますんで、もう無茶苦茶だったんですよ、あの頃は漫画家みんな。だから体力と徹夜の能力がないと仕事にならない。みんな徹夜ですよ、男も女も。朝4時とか、発売日があくる日なのに原稿を描いたなんていうのは、印刷所が待っているわけですよ。新聞と同じですよ。昔、朝日新聞西部支社（現・西部本社）の前に住んでいて、隣のオヤジが新聞社に勤めていたんで、ついつい新聞社のなかをウロウロしてて、製版とはどんなものかとか印刷とはどんなものか小学生の頃から熟知してたんですよね。

――小学生の頃にですか！

松本　これは、ものすごい学習をしているわけですよ。だから付録なんか描くとき、陰影をつけてグラデーションにしても、あれ活版印刷じゃダメでしょ。ところがキチンと分けておけば、製版用のフィルムを切って合わせて製版してくれるんです。それを知っていたから、私はそういう原稿をいっぱい雑誌社に渡していました。そしたら同年輩の仲間からみんな「なんでおまえのだけがグラデーションが利いて、俺たちのはダメなんだ」って言われて。でも、その理由については言わなかったです（あっさりと）。

——え！　なんで言わないんですか！

松本　産業機密みたいなもので。

——新谷先生なら印刷屋経験があるからまだわかるんですけど、松本先生は見ただけでなんとなくわかっちゃったんですか？

松本　製版所のオジサンが優しくて、「おまえ、漫画描いてるなら持ってこい、製版してやるから」ってことで、持っていって製版してもらったんですね。「ほら、こんなのは線が出ないだろ」とか教育を受けたわけですね、小中学生の頃からそこに通って。で、上の階には宣伝部に松本清張[註3]さんがいたんですよ。「おまえ、漫画描いてるんだって？　これやる」って『サザエさん』もらったんですよ。誰に聞いてもそれは清張さんだった。その朝日新聞の斜め前あたりには萩尾望都[註4]さんの家があるんですよ。寶文館っていう本屋の娘さんで中尾ミエさんもいて、あと山本リンダもいたし、『木綿のハンカチーフ』の太田裕美さんもいた。その太田裕美さんを乗せて、小型ジェット機を私が操縦したこともあった。北海道のほうだったんで、北方領土の近くを。

——え、ちょっと待って下さい。北方領土近くの上空に行ったわけですか？

松本　行こうとしたんです。

——……っていうか、まずどういう流れで飛行機を操縦することになったんですか？

松本　取材で彼女がマネージャーと一緒にソニーの社長専用機に乗るからってことで、ソニーの宣伝部長が私の下宿のときの親友だったんですよ。「おまえ、飛行機に乗りたいだろ、来い」って言うから行ったらホントに小さい飛行機で、マネージャーが逃げ出したんですよ。「俺こんなボロ飛行機やだ」って。「彼女はどうするの？」って聞いたら、「好きにしてくれ」って。離陸はちゃんと正規の操縦士がやるんですよ。上に行ったら「はい」って替わって。

——いいんですか？

松本　いいんです（あっさりと）。「高度を上げて速度出すよ」って言われてね。

——飛行機の操縦経験は？

松本　いろいろありますよ。私は外国に行って飛行機を操縦したことがあるんです（あっさりと）。穏やかな時代だったんですよ。

——穏やか！

松本　穏やかな時代だったから、いろいろ触らせてもらえた。操縦席に入れてくれましたからね。

――事故が起きるってわけでもなかったんですね。

松本　変なことはしませんからね。自分だって命は惜しいし。あるとき操縦席に行ったら機長が漫画を描いてるんですよ。漫画が好きな機長でね。

――ダハハハハ！（笑）

松本　ちばてつや氏[註5]が乗ってた時もある。操縦席でいろいろ楽しんでいたらそれで振動が出たからやめて客席に帰ったりしました。「いま飛行機が揺れたろ？」ってちばてつや氏に聞いたら、「うん、気流が悪いんだね？」って彼が言うんですよ。「あれ俺」って言ったら、それからションベンに行こうとするとガッと腕をつかまれて、「もう二度と行かせん！」って。

――ダハハハハ！

松本　あの頃は自由だったなぁ……。

緩やかな時代

――自由のレベルが違いますね（笑）。

松本　うん、いまとレベルが違うんですよ。穏やかだったんだよね、まだテロとかそういうものがない時代。

――なるほど!?

松本　いろいろな体験をしました。で私、安全に小笠原まで飛んだけど、着いてから滑りコケて肋骨3本を折って、帰りは操縦できずに帰ったこともありました。それが治ってから、ちばてつと野球やっていて、また折った。

——野球で骨折したのは有名ですよね。

松本　ええ。野球で人工芝にスパイク引っかけてね。1年で6本も折っているんですよ。治ったらまた3本折った。いろんなことやったな……（しみじみと）。

——ダハハハハ！　知りたいですねえ！

松本　ケニアの草原でライオンと決闘しようと思ったこともありましたね。あの時代は自由だから、鉄砲3丁ぐらい持って四駆のレンタカー借りて。そしたらタンザニア領に入ってしまいまして、タンザニア兵に取り囲まれたんですよ。両方鉄砲向け合ってね。でもルールがあるんですよ。みんな鉄砲の外側にしか手をかけてなくて、引き金には指かけてないんです。「そこが国境だ！」って言われて、「ソーリー」って言って缶ジュースあげたんですよ、レモンジュースを。そしたら「おまえ、これ飲め」ってビールくれるわけですよ。それで宴会になってしまいました（あっさりと）。

——呑気ですねえ（笑）。

松本　「今度来るときはビザ取っておいでよ。その安全靴ではダメだ、キリマンジャロは手ごわいよ、だからスニーカー履いてこい」と、そんなこと言われて、「シー・ユー・アゲイン、バイバーイ！」って言って。酔っ払い運転ですよ。あのときに初めて草原を走りながら、空気が薄いんで星空がものすごくきれいなんですよ。レオパードロックというところに登って、周りを見渡したらアフリカ全部が見えるわけです。キリマンジャロが見えて、大地が見えて。俺が生まれる前からこれはここにあった、死んだあともここにある。人気がなんだ、原稿料がどうした、そんなものはどうでもいい。悟りを開くとはこのことですね。

――すべてが小さく思えてきて。

松本 急に元気になりましたね。それでライフルの弾倉を開けたら弾が入ってないんですよ。もし豹が来たら食われていました。

――闘うつもりだったけど。

松本 うん、無茶苦茶ですよ。でも、世界中が緩やかな時代だったからおもしろかったんですね。アメリカでちばてつとふたりでビーフジャーキーをいっぱい買ったら、あれ持ち込み禁止なんですね。みんな没収されてるわけです。じゃあ没収される前に食っちまえって、ふたりで口にいっぱい入れてモゴモゴ入れながら行ったら、「これは熱が通っているからいいよ」って通してくれましたね。向こうでは取り上げられているんだけど。無茶苦茶ですよ。穏やかな穏やかな時代だったですね。エロ本も1～2冊買って持っていったんですよ。みんなパッと見て没収されるでしょ。「これはなんですか？」「これは本です」と。嘘は言ってないでしょ？「ああ、ＯＫ」って。

――ＯＫなんですか！

松本　２～３冊なら商売にするわけじゃないでしょ。個人的なものだから笑って許してくれて。10冊、20冊持ってくと御用になるわけですよ。いろんな国の税関で、「あ、日本人？　いいよ、勝手に通れ」とか、検査なしでストレートに通してくれたりして、おもしろいですよ。税関で嫌な思いはなんにもしてないです。こっちも変なもの持って入ろうとは思いませんからね。

――せいぜいエロ本ぐらいですよね。

松本　エロ本ぐらい。あれは珍しくて。日本で流行っていたんですよね、そっと持ってくる人がいるから。あと、漫画家って格好が無茶苦茶だからスラム街に行って、ふつうなら入っちゃ危ないんですよ。身ぐるみ剥がれる。それも平気で入って行ったら、カンカン置いてお金をもらうために座っている人いるでしょ。いくら入ってるのかなと思って覗いたら、そのカンカン抱いたの。

――こいつに奪われると思って（笑）。

松本　うん。それから乗用車のボンネットの上で毛布を被って寝てる人がいたんですよ。うまく寝られてるのかと思って近くで覗いたらパッと目が合って、ハッと飛び上がってこっちに恐れをなしているんです。

――何か盗られるんじゃないかと（笑）。

松本　反対なんですよ。私、道に迷ってどっちに帰っていいかわからない。そしたら日系のアメリカ人が、「俺が案内してやる。おまえが帰るのあっちだ」って言って、「シー・ユー・アゲイン、サンキュー、バイバイ」って、金くれとかなんにもない。そういう直接的な接触をいっぱいやったんですよ。だからおもしろかったですね。

——やっちゃいけないようなこととか、行っちゃいけないようなところに行って。

松本　飲み屋街なんかでも、ひとりで行ってはいけないっていう場所に入っちゃってうろつき回ったんです。そしたらバッと戸が開いて、飲み屋のお兄ちゃんが「ハーイ！」って言ってくれるわけですよ。路傍に座っている女性も「ハーイ！」って手を上げるわけですね。時計を買いたくてロレックスやなんか買って、ホテルに帰ったら「何？　ひとりで行ってきた？」ってガイドが言うわけですよ。「大歓迎でみんなニコニコして優しかったですよ」って言ったらビックリしていて。やっぱり、われわれの格好は、背広は着てないわ、無茶苦茶でしょ。

——お金がなさそうに見えるわけですね。

松本　そうそう。でも、環境の違いというのは恐ろしいです。アメリカで鉄砲屋に行って、自動小銃から何から全部借りて射撃場に行こうとしたんです。それ剥き出しでぶら下げてレンタカーまで持ってかなきゃいけないんですよね、レンタカーに積むから。そうすると通行人が「オーッ、シューティング！　グッド！」って、笑っているわけです。なんの反応もない。それで射撃場に行って撃ちまくって。だけど道路の標識があるでしょ、あれがみんな穴だらけなんです。走りながら撃つんですよね。それでピストル撃ちまくって捨てていく人がいるんです、古いヤツをね。そのときに、「みんなこれ空薬莢も入れちゃダメだぞ、税関で御用になるよ」って言ったんです。

――当然ですね。

松本　アメリカ人の知り合いのアパートに行ったら、「女子学生もいるから彼女の部屋を見せてやろう」って、学生下宿みたいなところに連れてってくれたんです。そしたら枕をはがすと必ずピストルが置いてあるの。アメリカは全部そうですよ。だから私がいじくって、弾をみんな抜いて組み立てずに、「しまった！　バラバラにしてテーブルの上に置いてきちゃった！」って言ったら、「大丈夫だよ、慣れているから組み立てられる」って。だからアメリカに行って不用意にケンカをしないことですよね。

――みんなピストル持ってますからね。

松本　危ないですよ！

手塚先生と私

――松本先生は温和そうに見えて、意外と血の気が多いタイプだと思うんですよ。

松本　そうですね。ガキのときから関門海峡で飛び込み、山で暴れ、川で泳ぎ。われわれの頃は無制限だったですからね。

――幼稚園も中退ですもんね（笑）。

松本　幼稚園はおもしろくないんでやめました（あっさりと）。で、5歳のとき明石で『くもとちゅうりっぷ』[註6]を観たら、手塚治虫先生が同じ時間帯に同じ画面を観てたんですね。将来のアニメ狂ふたり、5歳と15歳が同じ画面を同時に観てたんですよ。手塚先生、でんぐり返りました。それで、『鉄腕アトム』の1回目の試写会を東劇でやるとき、前の晩に「フィルムがつながげん、助けて！」って電話がかかってきた。映写機が壊れたんですよ。だから私の映写機を持ってって編集をやったわけです。石ノ森（章太郎）氏と3人でいろんなジャンク屋から道具を買って、撮影機器や撮影台を作って。フィルムもいっぱい買ってたら、それを上映して金取ってるバカもいたせいで家宅捜索されて。「研究用です」って言ったら、「研究用ならいいや。じゃあ頑張ってくれよ！」って肩を叩いて励まして帰っていきました。外に出ても「頑張れよ！」って。

――緩い時代ですね（笑）。

松本　手塚先生と石ノ森氏と3人同時に家宅捜索受けましたからね。石ノ森氏と私は同年同月同日生まれだし、ちばてつや氏とは親友ですが、私が雑誌社から呼ばれて上京したその日に旅館で会ってますからね。「今晩、部屋に行く」って言われて、待てど暮らせど来ないんですよ。どうしたのかと思ったら、ちばてつが生まれて初めてビール飲んだんですよ。ビール飲んで酔っ払って小便しに行ったら気絶しちゃったわけ。それで女中さんが割り箸でつまんで収めたっていう有名な話があるんですけど。

——有名なんですか、それ（笑）。

松本　手塚先生やいろんな人から、人には絶対に言えないことをいっぱい聞いてますよ。自伝にもなんにも書いてない部分を。

私は揉めてない

——松本先生は古本屋さんとかに漫画家さんの生原稿が持ち込まれると、買って作者に返していたっていうのは本当ですか？

松本　返してます。私は赤塚（不二夫）[註7]氏の原稿を630枚見つけて、まだ彼が生きてるうちに返せました。間に合ってよかったですよ。当時は、漫画の原稿っていうのは出版すると戻らないのが当たり前だったんですね。だからずいぶんいろんな人の原稿を買い戻しました。だけど電話したら、「いや、あなたが持ってるならいいよ」って言ってくれる人もいるわけですよ。

——あなたが預かっていてくれ、っていう。

松本　そう、「そこにあると思ったらそれでいいから」って。小松崎茂[註8]先生の原画もたくさん手に入れて、返そうと思ったら、あの人のアトリエが火事になったんです。それから亡くなられて。奥さんに私が持っていた絵をお返ししたんです。そしたら涙を流されて「まるで主人が帰ってきたみたいです」って、こっちもグッときましたよ。そうやって、みんな遺族を探しては返すことにして。それからわれわれは小倉で占領軍のるつぼにいましたから、アメリカンコミックが5円、10円で買えたんですよ、捨てていくから。『スーパーマン』や『スパイダーマン』の初版の時代のものからディズニーものやら、何もかもあるわけ。いまでもいっぱい持っているんですよ。そしたら数年前にオークションで、『バットマン』だか『スーパーマン』だかの初版が1億6000万！　俺んとこにもないかなと思って探したけど出てきませんでしたね。

――松本先生は貴重な日本の貸本漫画とかを大量に持ってることでも有名ですよね。

松本　藤子不二雄氏の『UTOPIA最後の世界大戦』[註9]が私の持っている本で復刻してます。当時の本はいま3冊しか確認されてないんですよね。藤本弘（藤子・F・不二雄）さんのところに1冊と、私ともうひとり誰か持っていて。もう1冊あったんですけど、展示会で盗まれて行方不明。石ノ森氏の最初の初版も、私すぐ買って持ってます。それも復刻しました。だからずいぶんいろんな人の復刻に私が持っている本を使いましたね。

――よく存じ上げてます！

松本　でも悲しい思い出もあるんですよ。『砂漠の魔王』[註10]を描いていた福島鉄次先生。最後、秋田書店に勤めてたでしょ。われわれの原稿の校正をやってくれていたの。で、行ったら受付で会ったんですよ。「福島先生のファンでした」って言ったんですけど、「もう福島は死んだと思ってくれ……」って言われて。あれは胸にこたえましたね。横山隆一先生[註11]にも会ってるんですよ。一緒に酒飲んで、忘年会を海岸のところのご自宅でやるわけです。漫画家が大勢集まり、新宿からはホステスたちも来て。それで私が「あ、終電車が」って言ったら横山先生が酒ぶら下げて私の横に来て、「俺はな、みんながいなくなると死にたくなるんだ」って。「それなら始発までやろう！」って。そういう偉大な日本の名だたる作家と直接話ができた最後の世代ですね、われわれは。

——同世代との交流でいうと、松本先生と梶原一騎先生[註12]が揉めたみたいな噂がありましたけど、それは誤解なんですよね？

松本　私は揉めてないです。ところが梶原先生の弟子がなんかで私のところに電話かけてきて、「道を歩いてても知らないよ」なんて言ってきたことはあるんですよ。

——えぇっ!?　つまり、「道を歩いてて何があっても知らないよ」ってことですか？

松本　そう。そしたらすぐ梶原先生から電話があって、「ウチの弟子がとんでもないことを言った！　同じ町内会で友達なのに申し訳ない。気にしないでくれ、俺がちゃんと言っておくから」と。銀座の『クラブ数寄屋橋』でよく会いましたね。そしたら梶原先生のことはボーイさんたちが周りを取り囲んで、人が入ってきても近づけないようにしていたの。私は平気で入って行くもんだから、不思議な顔されて。だって梶原先生は同じ町内に住んでいてね、大泉の駅前でもずいぶん一緒に飲みましたから。

――基本、ふたりの仲はよかった。

松本　ええ、最期まで。「そうやって部下が変なことしたらすぐ俺が厳重に言うから何も気にしないでくれ、とんでもない話だ」ってことで、私には優しかったです。

――松本先生が売れない頃、当時の少女スターをデパートに連れていったりするバイトをしてたっていう話も聞いたんですけど。

松本　女性スターの娘の面倒を見てくれ、と。当時、西武はできていて、隣は東武で、まだパルコがない頃、屋上に遊技場があったんですよ。そこに彼女を連れてって、モノレール乗せたり。それでまた西武のなかに戻ったら、「おじちゃん、お酒飲まなくていいの?」って聞かれて。「酒を飲むお金なんて持ってないよ」って(笑)。

――それぐらい貧乏だった頃(笑)。

私のおかげでした

松本　おもしろかったですな。本郷三丁目で下宿してたんですけど、場所的にはちょうどいいところで糸川(英夫)[註13]先生なんかも知り合いになったの。東大に勝手に入っていって、研究室をウロウロしてたら。

――近所だってことで勝手に(笑)。

松本　「何してるんだ?」って聞かれて、「日本のロケット技術やそういうものに興味があって」って言ったら、いろいろ教えてくれました。戦時中、もう三次元レーダーまではできてて、そのレーザー照準器を高射砲に全部つけてた。だけど米軍が来る前に外して光学照準器に替えといたらしいんですよ。「原爆は?」って聞いたらニヤッと笑ってたから、おそらくもうほとんでできてたと思う。最後にお会いしたとき、亡くなる何カ月か前かな?「私はホントは機械工学部を目指したけど、貧乏で行けませんでした」と言ったんですよ。代わりに弟が行ってくれたんですよね。「残念ながら受験まで備えたんだけど、金がないのでこの道に」って言ったら、バーンと背中を叩いて、「だからあんたはここにいる! それでよかったんだ!」って励まされましてね。そういうトップの学者さんとも出会えた不思議な世代なんですよ。

――東大に勝手に入って行ったりする行動力があったからこそな感じはしますね。

松本　ええ、糸川先生がロケットの開発やったりいろいろやっていたんで、何かあるに違いない、研究室ってどんなだろうって勝手に入っちゃったんです。無茶苦茶ですよ。のどかな時代でした。そのあと学生運動の時代になって大騒動になって、道を歩いているだけで本郷三丁目で取っ捕まって。

――東大が荒れていた頃でしょうからね。

松本　「何してる、その鞄はなんだ!」って言われて、見せたら漫画の本と原稿でしょ。「もっと見せましょうか?」「いやいや、もういい。だけど夜中にひとりでウロつかないでくれ、頼むから」って警官から言われたことあります。食えないときに風呂屋にも行けないからインキンタムシになって。これが『男おいどん』[註14]を描く原因になったんですよね。だからインキンタムシに助けられたんですよね。誰も描かなかったところに手をつけることができた。

――そこには誰も触れないですからね。

松本　ふつうはね。それを平気でインキンタムシ漫画を描いた。ですからマセトローションというインキンタムシの特効薬、あれは私の絵になりましたからね（笑）。

――パッケージの絵を担当して。

松本　そしたら大勢から段ボール何箱もファンレターが来ましてね、「自分は元気になりました、あなたのおかげです」とか、「私の彼が急に元気になりました。なぜかと思ったらあなたのおかげでした」とか、だいたい女子大生や高校生が多かったですね。それでみんな息を吹き返して。

――当時はインキンのせいで女性にはあんまり積極的ではなかったみたいですね。

松本　そうですね、やっぱりあれは恥ずべきことなんで。それが治らないことにはどうしようもないわけですよね。この世の終わりみたいな気持ちになって。ある日、それが白癬菌だという記事を朝日新聞で見つけて、学名なら言える、と。それで赤門前の薬屋さん行って、「白癬菌の薬をください！」って堂々と言ったんですよ。そしたら「おお、おまえもタムシか！　言えば治るんだ、言えば」って言われて、それで売ってくれたのがマセトローションで、それ塗ったら一発で効いたわけですよ。いまは製造中止になっちゃったんですけど。なぜかというと、あれの素材になる東南アジアで出る木の根元から採るものがもうなくなったんですね。だから新しいものを開発中なんです。私はまだマセトローション何個も持ってますから、あれがある限り大丈夫。かゆくなったら言ってください。

――ダハハハハ！　サルマタケ[註15]をちばてつや先生に食べさせた話も有名ですよね。

松本　あれは押入れにサルマタいっぱい押し込んで、カビが生えてその上にヒトヨタケとマグソタケっていうのが生えるんです。それを、35円のインスタントラーメンを茹でたんで、そこに入れてちばてつに食わせたんです。よく考えたら洗いもせずに入れてたんだけど（笑）。で、「美味いか?」って言ったら「美味い！」って食ってる。で、だいぶ経ってから、「じつは」って白状して。彼も笑ってましたけど。

――キノコは火を通してないんですね。

松本　お湯かけただけです（あっさりと）。でも熱湯ですから。熱湯消毒で大丈夫。まあ、無茶苦茶な時代でしたねえ。

死にもの狂いですから

——掘ればまだまだ聞いたことのない話が大量に出そうですね（笑）。

松本　いっぱいありますよ！

——漫画家さんって徹夜が多いから、どうしても短命になるとか言われてますけど、松本先生は元気そうで良かったです。

松本　ええ。短命になるのは、もうひとつは酒とか甘いものの食いすぎとか、そういう問題もあるし、もうひとつはガキのときに暴れ回ってる人間は大丈夫なの。健康の秘訣は、ガキのとき思いきり暴れさせとく。それが必ず体力の基礎を築いてるわけ。

——松本先生の自伝を読んで思ったのが、ほかの漫画家さんよりあきらかに学生時代にヤンチャだったってことなんですよね。

松本　暴れん坊でした。それは事実です。

——松本先生は基本、短気なんですか？

松本　短気なことは短気ですけど、我慢するときは我慢します。たとえば高校の運動会で、一番きれいな女の子の写真が撮りたくて、友人からカメラ借りて「写真撮らせて」って言ったら「いいよ」って言ってポーズ取ってくれたわけですよ。そんなとき親友の同級生が「おい松本！」って言うから、こっちは無我夢中なんで、「帰れバカヤロー、声なんかかけるな！」って言ったらしいんですよ。それできれいな写真は撮れたんですけど、教室に帰ったらその親友がいないんですよ。あくる日になって、「おまえ、なんで昨日、俺を置いて帰ったんだ」って言ったら、「おまえ、ものすごい声で怒鳴ったじゃねえか。『勝手に帰れ、このクソッタレ！』って言ったから帰ったんだ」って言うんですね。言った覚えないんですよ、無我夢中で。でも、きれいな写真が撮れました（あっさりと）。

――夢中になると何を言うかわからない。

松本　もう何を言うかわからない。なにしろ死にもの狂いですからね、こっちは。

――念のため聞きますけど、さすがに大人になってからはケンカはしてないですか？

松本　格闘戦とかはしてないですけど、ケンカをまったくしなかったということではないですね。でも、バカなことはしないです。要するにケンカするっていうのは後味が悪いですから、東京に来てからはケンカらしいケンカはしたことがないですね。ただ、当時売れっ子だった漫画家が同じ下宿にいて、「松本、ラーメン食いに行こう！」「いや、金ないです」「いいよ、奢るから」って言うんで一緒に行ったんですよ。食い終わったら「やっぱり割り勘にしよう」って言うんですよ。

――お金ないのに。

松本　思わず立ち上がって、「だから俺は金ないって言ったじゃないか！」って大声出したんですよ。そしたらオヤジさんが飛んで来て、「いいよ、食いたいだけ食え。あるときに払え。

金がないときに食いに来てもいいぞ」って言ってくれたんですけど、「でもこの相手が許せないんですよね。人を無銭飲食にさせようとしたわけだから」って。だから地下鉄の駅を通り抜けるときにぶん殴って、「二度と俺の部屋に近づくな、近づいたらぶち殺すぞバカヤロー！」って言ったら、二度と近寄ってこなくなりました（あっさりと）。

——東京でもケンカしてますね（笑）。

松本　そういう殴られ方とか殴り方はガキのとき学んでいるわけですよ。人をケガさせない殴り方っていうのがあって、絶対殴っちゃいけない場所には手を出さない。鼻血が出るくらいはいいんです（キッパリ）。

——それが九州男児のルールですか。

松本　そうです。負けてもいいから正面切ってやると誰にも軽蔑されないんですよね。「男子たるもの」って、これは合言葉ですよね。あるとき、福岡を歩いていて肩が当たったんですよ。そしたら向こうが「ぶち殺すぞ」って言ったんで、こっちも「何が！　ぶち殺してみれ！」って言ったら、東京から一緒に行ったほかの土地の出身の人が、「殺すと言われて怖くないのか」って言うから、「いや、あれは挨拶だ」と。

——あ、そうなんですか（笑）。

松本　挨拶ですよ。本気では言わないですよ。「コラ、バカ」程度です。すぐ「ぶち殺す」って言っちゃうんですよ。殺すわけではないんだけど。これは口癖ですね。

――松本先生はいまだに言うんですか?

松本 うっかりしたら言っちゃうな。いま「ぶち殺す」なんて言ったら訴えられるから言えないですけど。同窓会で大ゲンカになったこともあるしね。同級生がやっている飲み屋で、そこの親分となんかでケンカになっちゃって、そしたら奥さんが出刃包丁に手をかけるんですよ。だから「ダメだ!」って私が包丁を押さえたら俺の手が切れちゃって、それでケンカおしまいですよ。「おい大丈夫か!」ってなってね。手に筋が2本入っただけで終わりましたけど。

――九州の人たちはそうやってすぐケンカになるけど、すぐ収まりもするんですね。

松本 「すまん、悪かった」って言ってね、すぐ笑い話になるんですよ。で、みんなで記念写真を撮って帰る。私も手をこうやって傷跡見せるように写って。そうすると、「おもしろかったなあ」ってことになるんですよ、お互いに。明るいところなんですよ。陰にこもったウジウジしたことは言わないのが北九州のいいところですね。

【註】

1／代表作『エリア88』など。松本キャラ・ヤッタランのモデル　2／秋田書店が刊行していた青年漫画誌、松本作品では『ガンフロンティア』も掲載　3／ふたりの松本は年齢差31歳　4／ふたりの年齢差は11歳　5／現在、幼少期や漫画家デビュー時期を描く『ひねもすのたり日記』を執筆中　6／監督は正岡健三。第二次世界大戦中の1943年、松竹動画研究所制作　7／没年である2008年から7年後、『おそ松さん』が大ヒットした　8／終戦直後の1948年から発表された絵物語『地球SOS』がアニメ化されたのは58年後のこと　9／足塚不二雄・名義で描かれた描き下ろし単行本　10／宮崎駿が影響を語っていた　11／代表漫画『フクちゃん』、代表アニメ『おんぶおばけ』　12／漫画原作者の地位を築いた人物　13／日本の宇宙開発の父　14／「週刊少年マガジン」で連載され講談社出版文化賞を受賞した　15／『男おいどん』を始めとする松本零士作品で男性下着（サルマタ）に生えるキノコ。モデルはササクレヒトヨタケ

CHAPTER4

ささき いさお

ささきいさお

１９４２年生まれ、東京都出身。本名・佐々木 功。１９６０年『和製プレスリー』のキャッチフレーズでコロムビアレコードよりロック歌手としてデビュー。松竹映画専属俳優として『太陽の墓場』（大島渚監督作品）等に出演。その後、新劇や商業演劇（ミュージカル・シェイクスピア劇など）に参加。アニメ『ガッチャマン』のコンドルのジョー役で声優として人気を博し、『新造人間キャシャーン』の主題歌歌手に抜擢。『宇宙戦艦ヤマト』主題歌は大ヒットとなる。２０１１年「第５回声優アワード」で功労賞、２０１５年「東京アニメアワード２０１５」において歌手としてアニメ功労賞を受賞。

女性には弱かったんです

——（本を出しながら）上田みゆき夫人[註1]との共著『子連れ再婚の片道切符』（86年／講談社）を読ませていただきましたよ。

ささき うわーっ、懐かしいな。もう忘れちゃいましたよ（笑）。それにしても今回のインタビュー、結構長いんですね。

——1万字ぐらいなのでかなり深く掘らせていただきます。そもそも今回、単純にささきさんの実年齢を知って驚きましたよ。

ささき いやいや、（渡辺）宙明先生とか松本（零士）先生に比べたら（笑）。

——そちらの方々と比較したらアレですけど、70代になられていたとは全然わからなかったです。

ささき そうですか？ 自分ではあんまり歳とったって感じはないんだけど、やっぱり70超えたらあちこち痛くなってきてね。脚が痛くなる腰が痛くなるで（笑）。高校2年からですからね。

——高校生でいきなり脚光を浴びるのって、当時どういう心境だったんですか？

ささき わけもわからずって感じでしたね。僕は1年ぐらいいろんな勉強をして、それからデビューするんだと思ってたんですよ。そしたらいきなりバンドに入って、いきなりステージに出て、いきなり映画に出て、「ウエスタンカーニバル」[註2]に出て、みたいな。「あーあー」って言ってるあいだに周りが進んでいっちゃったんで、ホントやってることを消化していくのに無我夢中って感じでしたもんね。だから脚光を浴びてるとかそういう感覚はなかったです。

――当時のロカビリーって関わっていた人の話を聞く限り、結構デタラメな世界だったみたいですけど、実際どうでしたか？

ささき　ああ、僕よりちょっと前の世代はめちゃくちゃだったみたい。先輩たちはいろいろあったらしいけど、ただ、僕が入った頃はマスコミがいろいろうるさくなってたんで、表立ってはなかったですね。

――山下敬二郎[註3]さんとかの時代の話を聞くと衝撃を受けますけど、そうでもなくて。

ささき　まあね。だからあの当時もそういうことしてたのかもしれないけど（笑）。僕はロカビリーやって半年でもう映画に行っちゃったから、あんまりそういうバンドとの付き合いもなかったですしね。それで映画からまた1年経って帰ってきてバンドを作ったときは、わりと地味なバンドでしたから、話に聞くほどデタラメな世界っていうのはあんまり経験してないですよね。

――映画の世界でもそんな感じでした？

ささき　はい。映画会社でも、日活とかああいうほうは結構盛んだったらしいけど、松竹はわりとまじめな会社でしたから。

――和製エルヴィス・プレスリーと呼ばれたロカビリースターから映画スターになるという、

こっちが勝手に考えるような派手で華々しいイメージとは、違う感じだったんですかね。

ささき　そうですね、あの当時はあんまりいい思いをしたっていう感覚がそんなに。

――ないんですか!?

ささき　ないですね（笑）。まあ、女優さんとちょっと噂になったことはありましたけど……。まあ、そのくらいですよね。僕、女性に弱かったんですよ。男3人兄弟で、小学校3年から高校までずっと男子校でしたから、どういうふうに女性と付き合っていいのかわからなくて。だから電車に乗ってても、女性の隣が空いてたら座れなかったぐらい、ホント苦手でした。

――自意識過剰なタイプで（笑）。だいぶもったいないことしたんじゃないですか？

ささき　いま考えればね。もう全部手遅れですけど、そういう意味では。だから歌に色気がないんでしょうね（あっさりと）。

――ダハハハハ！　当時はそうかもしれないですけど、いまと違いましたもんね。

ささき　当時はめちゃくちゃヘタクソだったしね。で、完全に人気がなくなって仕事もなくなって、ミュージカルとかやり出してから歌を習ったんですよ。それまでは基本的に音楽というのがわからなくて、ただ真似でやってたっていうか。映画もなんか言われるままにやってて、自分から発想して、こう歌おうとかああ歌おうとか、こういう芝居をしようとか全然なかったですね。

――基礎的な技術がないまま歌や映画の仕事を次々とやることになっちゃったから。

ささき　松竹の監督でも、ちゃんとカッチリした芝居をしなさいっていう人と、いまのままがいいんだよっていう人と二派いて、時代が変わるちょうど端境期っていうか、そこでウロチョロしてたみたいなね。で、芝居を習おうと思って金子信雄[註4]さんの劇団に行ったけど、結局芝居っていうものは勉強するもんではないっていうことで。いまでも役者やると、型どおりしかできないっていうか……。歌もそうですけどね。

——金子さんは結構厳しいらしいですね。

ささき　いや、まあ確かにおこられましたけどね。でも、大人が芝居をやって楽しむという劇団でしたから、僕にはあんまり向かなかったのかもしれないですね。当時、綿引[註5]（勝彦）とか柄本明[註6]とかいたんですけど、みんなやめちゃって。やめてからよくなったんですよ。

——やめた人で大物は多かったみたいですね。松田優作[註7]さんとかもそうですけど。

ささき　そう、優作は完全に演劇教室のほうから入って、卒業式かなんかのときに金子さんに怒鳴られて、それでやめたんですよ。やっぱりちょっとそこからはみ出して、自分で芝居にぶつかっていくようなほうがいいみたいですね。型通りにお芝居をしてても、それは古い演劇というか、そういう気がします。

わりと鼻っ柱強かったんです

――もともとささきさんは、最初から恵まれた環境に置かれたわけじゃないですか。

ささき いまから見れば恵まれたっていうか、ルックスが当時にしてはちょっと日本人離れしてたり、脚がすこし長かったり、そういう表面的なとこから運をつかんでいったんですけど、内面の実力がなかったからメッキがはげるのは結構早かったですよ。

――そうなってから、なんとかしなきゃって思いが強くなっていったわけですよね。

ささき せっかくそれだけ名前が売れたんだからやめちゃうのはもったいないじゃないですか。それで勉強し直そうと思って、芝居やったりミュージカルやったり発声から習ったりして、あとから一生懸命その穴を埋めていったっていうかね。当時は生活も苦しかったです。芝居なんかやると2ヵ月ぐらいほかの仕事ができないんですよ、「こういうときは何もするな、稽古だけ来い」ってことで。

――お金が入らなくなっちゃうんですね。

ささき そうそう、1週間ぐらいやったって3万円ぐらいしかもらえないじゃないですか。だからよく生き延びてきたなって。

――その頃はすでに結婚もされていたし。

ささき もう子供も生まれていましたしね。

――それで生活するのは困難ですよね。

ささき　だから結局、実家から金借りたりとか、たまにはテレビの仕事もやってましたけど、家計はたいへんだったんじゃないかな。

――弁当を買えなかったこともあって。

ささき　そうそうそう！　僕、いつも小遣いを持って歩かなくて、ほとんどお金は当時の奥さんのほうが持ってましたからね。京都に行くと交通費は行ったときにくれるんですよ。だから片道だけ買って行けばいいわけ。それで行ったら「精算は今度でいいですか？」って言われて（笑）。

――「よくない」とは言えない（笑）。

ささき　思わず「はい」って言っちゃってね。帰りの切符を買ったら弁当も買えないぐらいギリギリで。そういう思い出もありましたね、忘れてましたけどね（笑）。

――苦労した時代もあったわけですね。

ささき　結構長かったですよ。それで、最初の奥さんと離婚して子供を連れて家に帰って、しばらく仕事したくなくなって。

――時間はあるから釣りに熱中して。

ささき　そうそう、ちっちゃいときから釣りは好きだったんですけど、ちょうど『宇宙戦艦ヤマト』が当たる前の年の秋だったのかな。夜釣りばっかりしてましたね。家から車でちょっと行くと釣り場がすぐあるから。その年は東京湾でサバがやたら釣れた年なんですよ。それ毎日食べてました。

——自給自足してたんですね（笑）。声優業は、もう始まってた時期なんですか？

ささき そう、声優とレコーディングだけは続けようって。それまでは、なんでもいいから仕事したいみたいな感じだったんですけど、離婚したとき「もう無理して稼ぐ必要ないかな」と思って、「テレビ映画は悪役ばっかりだから、もう出たくない」って言ったら、金子さんが「じゃあもうウチやめろ」って言って、「じゃあやめます」って（笑）。いつまで経っても若造扱いみたいだったし。

——まあ、金子信雄さんに比べたら誰でも若造になっちゃうんでしょうけど（笑）。

ささき ねえ。丹阿弥（谷津子）[註8]さんの相手役やったこともあるんですけど、なんかやっぱりこのままいてもしょうがないなっていう感じで。それで、あてもなくやめちゃって。ひとつは、ある作家の方とちょっとケンカ状態みたいなのがあって。ミュージカルをやったときにその人がすごい権力を持ってる人だったんで、「もう東宝の芝居におまえは出さない」って言われて。

——干されちゃったんですか！

ささき そう！　すごい厳しい状態で。

——ささきさん、結構ケンカしますよね。

ささき 僕、わりと鼻っ柱強かったんですよ。いまは全然しませんけど、昔は理屈でものごとを進めるタチだったんで、「芝居は理屈じゃねえよ」みたいなことはさんざん言われましたね。だから「ミュージカルってそんなもんじゃないよ」みたいなことを、つい飲みながら言うじゃないですか。それを告げ口する人がいるんですよ。

——ああ、酒の席で言ってた話を。

ささき そうそうそう、自分がその先生にかわいがられたいから、「あの人はこう言ってる」みたいなことを。最後まで誰が言ってるのかはわからなかったんだけど（笑）。いまは笑い話ですけどね。

——たしかに本でも「酒を飲むと理屈っぽくなっていた」って書いてありましたね。

ささき そうそうそう、昔はホントに理屈ばっかでしたね。演劇志向の若者ってそういう話が好きなんですよ。でも、ある程度歳とって、芝居とか歌って理屈も大事だけど、やっぱり体でやるものだとわかってきて。特に歌なんて理屈つけようがないじゃないですか、歌うしかしょうがないから。

アニメの人気を実感しました

——声優の仕事自体はエルヴィス・プレスリーきっかけで始まったんでしたっけ？

ささき そうです。ちょうど20歳のときに芝居やった舞台監督の人が、いわゆる吹替えとかの制作会社を始めたんです。それで「和製プレスリーなんだからプレスリーのアテレコやってみない?」って声かけてもらって、『燃える平原児』[註9]でアテレコを初めてやってね。テレビ映画でも自分で出て自分でアフレコしたりしてたから、そんなに難しいとは思わなかったんですね。それがわりと評判よくて。いわゆるセリフセリフしてない口調だから、エルヴィスにちょうど合ったんですよ。それから声優の仕事が結構来るようになって。それでまた同じ方が「今度は漫画やってみない?」って、それで『科学忍者隊ガッチャマン』[註10]のコンドルのジョーの仕事が来たんですよ。でも、当時のアニメの仕事はとても安かったんですよ。

——そうだったんですね。

ささき　ほかのみんなそうでした、あの頃は。それで日俳連(日本俳優連合)やなんかが、いろいろやったりなんかして、あれでボーンとギャラが上がったんですよね。

——当時、アニメの声優をやることに対して何か葛藤みたいなものはありました?

ささき　全然なかったですよ。

——ギャラが安いなーぐらいの(笑)。

ささき　うん、安いなーっていうのはあったけど(笑)。それなりにやってるとおもしろいんですよ。ふつうの吹替えって人間がやってるからふつうのセリフじゃないですか。アニメっていうのは架空の人物に架空のセリフだから、結構ストレートにガーンとできたりするのがおもしろかった。

——洋画の吹替えから来た人はプライドが高かったりするってよく聞くんですけど。

ささき　そうそう、当時もそうでしたね。でも、『ガッチャマン』はアニメと洋画を両方やってる人が多かったです。大平透[註11]さんをはじめ、ベテランが多かったですからね。僕の役なんて結構ぶつけていくようなセリフが多かったから、当時の反抗的な自分に合ってたんじゃないかな（笑）。

——ダハハハハ！　やさぐれてた感じが。

ささき　そうそう（笑）。そういう心情が反映されてたんじゃないですかね。いまああいうのをやれって言われても、もう歳だしね。まあ、（シルベスター・）スタローン[註12]なんかは、いまでも近いですけど。

——そしたらコンドルのジョーが、いきなり大人気になっちゃったわけですよね。

ささき　でも当時あんまりピンとこなかったです、『ガッチャマン』がすごい人気だっていうのは。ほら、街を歩いてたって顔は出てないから誰も知らないじゃないですか。『新造人間キャシャーン[註13]』を歌って、『ゲッターロボ[註14]』を歌って、いろんなことやった頃なんですけど、やっぱり顔が出てないから、街歩いても誰も知らないんですよ。何十万枚売れたよって言われても、「あ、そうですか」みたいなね（笑）。

——実感がない。

ささき　それで初めて新宿の伊勢丹の屋上で「アルバイトのつもりでやってみない？」って言

われてイベントやったら、そのとき500人ぐらい女子中高生が来てたんですよ。もっと大きい方もいたけど（笑）。まさかそんな人たちが集まるとは思わないから、「今日誰かほかに出るの？」って言ったら僕だけで、出て行ったらギャーッてね、ロカビリーでもこんなに人気なかったなっていうぐらい（笑）。ホント、ビックリしました。

――それは完全にコンドルのジョー効果？

ささき　うん。女子中高生はみんな「ささきさん」って言わないんですよね。「ジョー！」「ヤマト！」ってくるわけですよ。なんなんだこいつら、みたいな（笑）。

――「ヤマト！」って（笑）。

ささき　それが大きかったですよね。それから『ガッチャマン』の仲間を引っ張り出したり、神谷明を呼んできていろんなイベントやってね。三越でチャリティーイベントやったときなんて、閉店になってもまだサインが終わらないぐらい人が集まって。そこにみんな目つけてアニメブームが起きたんですよね。まだあの頃は『アニメージュ』も何もなかった時代ですからね。『ヤマト』だって大ヒットする前ですから。

――テレビシリーズは打ち切りだし。

ささき　そう、それが徐々に人気が出てたっていうくらいのときですよね。そのとき、これはすごい人気があるものなんだって実感した。それまでは全然。街を歩いてても声かけられないし、何もなかったですよ。

――アニソンの仕事を始めるときも、やっぱり葛藤みたいなものはなかったですか？

ささき　全然なかった。あのね、むしろやってみたかったの。自分が発声練習から全部やり直して、結構ちゃんと歌えるようになってたから。だから、これはちょっと試しにやってみようっていうことになって。

――『ガッチャマン』の打ち上げで歌ったのを関係者が見て選ばれたんでしたっけ？

ささき　うん、『ガッチャマン』が長く続いたんでパーティーがあって、みんなで歌ったんですよ。僕、一番声がデカかったから。それで前に歌手だったからっていうんで、「主題歌やってみませんか？」って言われて。あれも運がよかったんですよね。ちょうど読広（読売広告社）が次にタツノコと違う作品つくるからってことで主題歌に誘われて、レコード会社がまた昔いたコロムビアでしたから、なんとなく縁があるのかなって。それでレコードになって自分で聴いたら、これはイケるなっていうぐらい歌えてましたからね。漫画の歌って結構注文が来るじゃないですか。最初はひとつだけだったんですけど、次の秋には4本ぐらいやりましたからね。評判いいと仕事って増えるもんだなって思いました。そのなかに『ヤマト』があったんですよ。

西崎さんは先輩だったんです

――最初、『宇宙戦艦ヤマト』の主題歌は子門真人さん[註15]がレコーディングまで済ませてたんですよね。

ささき　そうそう、子門だったけどキーが高かったから移調したんですよ。ほら、プロデューサーが声が低いのが好きだから。

――西崎義展さんが「これは違う」と。

ささき　そうそう。自分で歌うのにこのキーのほうがいい、みたいなことで（笑）。

――そういうことだったんですか！　「これじゃ高すぎて俺が歌えないだろ！」と。

ささき　そうそうそう（笑）。なんか知らないけどキーを下げて。だからオケ録り直したり大変だったらしいんですけど。

――あの重厚なオープニングは、子門さんよりささきさんのほうが合ってると思いますけど、そうやってプロデューサーのひと言でボツになることってあるんですね。

ささき　僕は初めてでしたけど、水木（一郎）[註16]もこないだ「俺がなんか歌ったらダメになって違う人が歌ってた」とか言ってたから、たまにあるみたいね、そういうの。特に西崎さんは音楽うるさい人だから、余計納得しなかったんじゃないですかね。

――で、西崎さんがささきさんが歌うのを聴いて「これだ！」と思ったわけですか。

ささき　まあ、声が低いっていうのと、僕の先輩だったんですよ。前にイベントで、彼は司会してて、そこで歌ったことがあったんですね。それが何年か前だったんで。

――司会者時代に接点あったんですね。

ささき　それで「なんだ、おまえか！」みたいな。でも、やっぱり運がよかったというか、声の質がちょうど『ヤマト』に合ったんですよ。そのときは売れなかったけど、あれが実績になりましたね。菊池（俊輔）[註17]先生も最初は「ささき？」ってちょっと首をかしげたって言ってましたから。

――それは昔のイメージのせいで。

ささき　そう、ロカビリーの頃のあのヘタクソってことで。で、『キャシャーン』でちゃんと声が出るようになってからビックリしたってことで、それで次の秋から菊池先生の歌ばっかりになりましたからね。気に入ると「次これ、次これ」みたいなね。

――『キャシャーン』のギャラも実はかなり安かったって、本に書いてましたね。

ささき　何しろ安いし人気出ないし顔も出ない、そういう世界でしたから。それが、アニメブームをみんなで起こしたことで顔が出るようになって。ひとつは『ヤマト』っていうのが復活っていうイメージだったじゃないですか。僕も一度落ちてまた復活したっていう、それをダブらせて売ってくれたんで、結構また名前がいろいろ出るようになって。あと『ヤマト』って何度も何度も作られたじゃないですか。そのたびに主題歌が復活するわけですよ。だから、やっぱりラッキーでしたね。ふつうのアニメだったら1本か2本で終わっちゃうところを何年かごとにやってくれたから。しかも、いまだにやってますからね、それはすごい運のいい作品にめぐり会ったというかね。

――西崎義展さんには感謝もある、と。

ささき　ある意味では感謝してますよ（笑）。

ヤマトには不思議な因縁が

――ダハハハハ！　まあ、いろいろ言われてる人ですけど、間近に見てどうでした？

ささき　でもね、あの人はやっぱり『ヤマト』に賭けてましたよ。まだ人気があんまり出なくて、放送も終わっちゃって再放送チョコチョコやってる頃に、編集して1本の映画にしてアメリカに売ろうと思ったらしいんですよ。そしたら日本でもやってくれって声があったんで、何館かで上映したらそれがものすごい人気出ちゃって。ホントに一夜にして変わったっていうかね。

――映画の公開初日で流れが変わって。

ささき　そう。公開の2日ぐらい前から徹夜で男の子なんかが並んだことでまず話題になって、それで大当たりして、その次の年に『さらば宇宙戦艦ヤマト　愛の戦士たち[註18]』を作って、それがまた大当たりしたんですよ。『ヤマト』ブームがドカーンときて、西崎さんも生活が変わったんだろうけど、僕らもおかげさまで変わったというか。それまで遊んでばっかりいたのが、イベントイベントで地方行くわ、レコーディングはあるわ、すごい忙しかったですね。

——釣りする暇もなくなっちゃって。

ささき そうです（笑）。その年は釣りにはあんまり行けなくなりましたね。そういう意味では西崎さんのおかげっていうかね。

——そういえば、西崎さんのクルーザーで一緒に釣りはやったことないんですか？

ささき ない、乗ったこともない。話はよく聞いてたけど（笑）。「ヤマトっていうんだぞ、俺の船は」なんて言って。『ヤマト』のパーティーのとき、伊勢海老がいっぱいあったの。「これ伊豆の大島行って俺が獲ってきたんだよ」とか言ってた。結局、「乗っけてやる乗っけてやる」って言いながら、一度も乗ったことなかったですね。最後に『（宇宙戦艦）ヤマト　復活篇』[註19]を制作した頃も、僕のところに必ず……僕しかいないから。たまたまあのとき主題歌はアルフィー[註20]が歌ったんだけど、アルフィーがどっかで仕事があったから「ささき、歌ってくれ」みたいなことで。その頃は、あんまり向こうも快く思ってなかったのか、顔を合わせても睨んでいて「またおまえに頼るのか」みたいな感じでね。どうしても『ヤマト』っていうと、一番表面に出たのは僕じゃないですか。だから、「俺が作った作品なのに、あいつはなんだ」みたいな複雑な感情があったんですよ。

――「プロデューサーは俺なのに、テレビに出るのあいつばっかりだ！」みたいな。

ささき　そうそうそう（笑）。

――ジュリー[註21]が歌おうがどうしようが、やっぱり『ヤマト』の主題歌はささきいさおしかないっていうイメージでしたからね。

ささき　こないだ宮川（泰）[註22]先生の奥様が「やっぱり、ささきさんが歌わないと。カヴァーする人も、ささきさんの歌みたいにみんなやっちゃうから」みたいな冗談言ってましたけどね。イメージが強すぎてカヴァーしても通用しないところがあるみたいで。そういう意味では曲も合っていたというか。

――ささきさんのおじいさんが海軍だったっていうのも運命的な気がしますよね。

ささき　そうそう、僕の父方の祖父が海軍中将だったんですよ。それに、おばあちゃんのお父さんが福沢諭吉なんかと一緒に咸臨丸に乗ってアメリカ行って、帰ってきて海軍の主計学校を作った人で。で、その人が娘の婿にウチのおじいさんを見込んで、主計を継いで主計学校の校長さんまでやったんですね。だから当然、武蔵とか大和の予算とかも担当してたと思うんですよ。どっかでそういう縁があって、『ヤマト』に招かれたっていう不思議な因縁を感じますよね。

みんな適当に遊んでいました

——しかし、和製エルヴィスから『ヤマト』っていうのもすごい飛躍ですけどね。

ささき ハハハハハ！ ちょうど『ヤマト』が当たったのが、エルヴィスが亡くなったときなんですよ。エルヴィスが亡くなって、エルヴィスの話をしてほしいって言われて、急に文化放送の『セイ！ヤング』[註23]っていう、せんだみつお[註24]さんがやってた番組に呼ばれて。それが縁で、『ヤマト』が当たったもんだから、『セイ！ヤング』でアニメの特集をやろうって、それで何週かあとから僕がやるようになって。あのとき一気にワーッといい展開になったというか。ニッポン放送は必ず映画の前には『オールナイトニッポン』でやってましたからね。

——『ヤマト』はラジオと連動して、『西崎義展のオールナイトニッポン』っていう画期的な番組やってましたもんね（笑）。

ささき すごいんですよ、取り仕切っちゃってね（笑）。しかも『ヤマト』が大ヒットする前に『およげ！たいやきくん』[註25]が流行ったじゃないですか。「やっぱり子門にしときゃよかったかな」とか冗談で西崎さんは言ってましたよ（笑）。

——まあ、ミリオンセラーですからね。

ささき 「しまった！ と思ったんだよ」って。まあ、それは当たったあとだから。

——アニソン御三家の一人だった子門さんも20年以上前に引退したことを思うと、アニソンの

世界も大変なんでしょうね……。

ささき　特に、当時はアニソンといって取り上げられることがあんまりなかったじゃないですか。要するに、作品についてる漫画の歌っていう感じで。アニメソングとかアニメの音楽っていうのがジャンルになったのは『ヤマト』になってからですよね。それまでコロムビアがずっと下地作ってきて、最初は『ジャングル大帝』[註26]で冨田勲[註27]さんがオーケストラでやりたいって言って、アルバム出して。そのイメージがあったんで、『ヤマト』も音楽集とかいっぱい作ったみたいですね。あれはやっぱり宮川先生だからよかったんじゃないですか？　やっぱり西崎さんって一流好みですから、作詞はやっぱり阿久悠さんに頼んでよかったですよ。「さらば地球よ旅立つ船は」っていう歌詞があったから、宮川先生もああいうメロディがつけられたんだし。西崎さんのいろんな計算が全部、何年かかかったけど当たったっていう感じでしたね。

――セル画を配って劇場に行列を作らせたりとか、そういう方面のプロデュース能力がやっぱりすごかったと思いますもんね。

ささき　まず話題性をっていうね、それはすごかったですね。いろんな根回しがあったんじゃないかと思うんですよね。最初は何しろ北海道でベストテンがあって、歌謡曲のいろんなのが入ってたんだけど、そこに『ヤマト』がいきなりポーンと入って、何週だか1位を続けたっていうね、そのためにハガキを配ってましたもんね。なんでこんなにハガキを持ってんだと思ったら。

——地方から火が点いた感を出して。

ささき　そうそう。そういう意味では執念というか。でも見事に爆発するもんですね、ああいうものって。それまで2年半、人気は多少はあるとは思ってたけど、あんなにすごくなると思わなかったですから。

——人気が爆発したことによって翻弄される人もいたと思いますけど、ささきさんは苦労も重ねてるからそんなに変わらず？

ささき　でもやっぱり結構……『ヤマト』では真面目なほうだったけど、地方なんか行くと宮川先生も西崎さんも飲むし、みんな適当に遊んでましたよね。

——そうだったんですか（笑）。

ささき　うん。西崎さんはあんなに二枚目で、奥さんもたくさんとっかえひっかえで（笑）。でも、クラブとか行くと気取っちゃうから、近づき難いっていうか。宮川先生とか原信夫[註28]さんとか、柔らかいほうがモテるんだよね。宮川先生は女性口説くのうまいから。

——しかし、いろんな人と会ってますね。

ささき　そうね。若いときはいろんな人に会ってもみんなケンカしちゃって（笑）。実力もないのにね。ちゃんと力をつけてからはちゃんとした出会いになってますよ。

もったいないことをしました

——『新・座頭市』[註29]では勝新太郎さんと共演して、石原裕次郎さんとも共演して。

ささき あれはなんで僕のとこ来たのかわかんないんだけど。突然ウチに電話かかってきて、「テレビの『新・座頭市』やってみませんか？」って言われて。「どんな役ですか？」って聞いたら、「裕次郎さんが特別ゲストで、それに斬られる役です」。また斬られるのかと思ったけど（笑）。そのときはちょうど劇団やめて家に帰ってた頃だから気軽だったんで、「あ、じゃあやりましょう」って。ひとりでノコノコ京都行って、裕次郎さんから「おう、『G.I.ブルース』」なんて言われてね。

——『太陽にほえろ！』っぽい！

ささき そのあと裕次郎さんの『西部警察』出演の話があったらしいんですけど、ちょうど『ヤマト』が当たったときだったから、やっぱり歌のほうをどうしてもやりたいじゃないですか。『西部警察』は完全拘束だからあんまりイベントもできないって言われて、いまは歌が一番大事な時期だから歌をやろうって、それでお断りしちゃったんですけどね。あとから、もったいないことしたって言われるんだけど（笑）。

——確かにもったいないですよ！『新・座頭市』なんて、台本もなくアドリブだらけだったみたいな伝説がありますけど。

ささき　一応台本はありました。でも、勝さんが来て芝居をつけるんですよ。僕がよく言われたのは、「おまえ、悪い役だからってそんな悪党ぶってやっても女の子はついてこないぞ。女を口説くのは、だらしなかったりカッコよかったり、そういうところがないとダメなんだ」って。僕なんか芝居ヘタだから、悪役っていうと悪ぶってやるじゃないですか。「それじゃダメだよ」って手取り足取り教えてくれました。合間に勝さんと将棋さしたりして。将棋強いんですよ。僕なんかコロコロ負けてたけど。「ささきくんはペーソスがあるんだよね。撮影所入ってきたとき見てたんだけど、そのペーソスで1本撮れるね」なんて、すごいかわいがられて。それから勝プロはたいへんなことになっちゃうんだけど（笑）。

――『新・座頭市』で予算使いすぎて。

ささき　そうそうそう（笑）。あと、裕次郎さんなんかすっごい楽に演技するんだよね。勝さんと裕次郎さん見てると、ホントに洒落てるの。こういうふうにやるもんなんだってビックリしましたよね。どうやったら粋になるかっていう芝居をやってるんですよ。僕みたいに、この役だったらこういう役作りでとかっていうんじゃないの。

――理屈じゃない、もっと身体的な。

ささき　そうそうそう。だから歌っても裕次郎さんうまいじゃない。ああいうのって絶対に歌手にはできないうまさですよね。

――勝さんの歌も独特の味があって。

ささき　そうそう。あのふたりの芝居はすごかったですね。なるほどなって。

――裕次郎さんも勝さんも酒豪でしたけど、ささきさんは基本的には根が真面目で、お酒でそこを壊したって話ですよね。

ささき　やっぱり自分を壊さないとダメというか、このままだと固すぎるなっていう。歌なんかいまでも固いですけどね。なかなか色気が出ないんですけどね（笑）。去年、クリスマスのショーやったとき、いつも観に来てくれる人が「いままで一番力が抜けててよかった」って言ってたね。女房も言ってた、「なんか力が抜けてきたからいいんじゃないの？」って。どうしても僕のなかで、アニメの歌だから一生懸命歌うっていうのが強すぎて。やっとこの歳でよかったって言ってもらえた（笑）。最近はステージやってても、客との垣根がパッと取れるようになってきたんだけど、昔は僕も一歩引いちゃって、そういう意味では本当にダメだったよなぁ……。

――このキャリアでようやくその域に！

ささき　ハハハハハ！　なかなか客席と一体になることって難しいんですよね。だって、みんな知らない人じゃないですか。

――当たり前ですよ（笑）。

【註】

1／女優。アニメ『エイトマン』のヒロイン関口ひろ子を演じた　2／有楽町にあった日本劇場で開催されていた音楽フェス。年代によりウエスタン、ロカビリー、グループ・サウンズと内容は変化　3／柳家金語楼の息子、ロカビリー3人男のひとり　4／「文学座」所属から「劇団青俳」を経て「新演劇人クラブ・マールイ」設立　5／俳優。時代劇からポケモンCMまで幅広く演じる　6／「東京乾電池」座長、2019年に旭日小綬章受章　7／1989年、不惑となったばかりで逝去　8／金子信雄夫人　9／監督は『ダーティハリー』のドン・シーゲル　10／『マッハGoGoGo』から5年、メカ描写が革新された　11／口ひげのあるダンディ、南部博士役　12／1946年生まれ。ささきの4歳年下！　13／主題歌『たたかえ！キャシャーン』は、ささきいさおアニソン・デビュー曲　14／合体・変形ロボの嚆矢　15／かつてのアニソン御三家、現在は引退　16／かつてのアニソン御三家、精力的に活動中　17／作曲家。アニメ、特撮以外にも『キーハンター』『Gメン'75』『暴れん坊将軍』などなど作品多数　18／『宇宙戦艦ヤマト』劇場版第2作　19／この公開翌年、西崎義展逝去　20／正確にはTHE ALFEE　21／沢田研二『ヤマトより愛をこめて』　22／『シャボン玉ホリデー』音楽担当　23／『オールナイトニッポン』裏番組、1981年終了　24／お笑い第何世代になるのだろう？　25／同曲を生んだ『ひらけ！ポンキッキ』も、ディレクターだった野田宏一郎（SF作家・野田昌宏）も、制作会社・日本テレワークもいまやない　26／日本初のカラーテレビアニメ、『ライオンキング』を訴えなかった　27／日本人シンセサイザー奏者の先駆け　28／テナーサックス奏者、美空ひばり『真赤な太陽』作曲者　29／勝プロダクション制作

CHAPTER5

辻 真先

つじ・まさき

辻 真先

１９３２年生まれ、愛知県出身。名古屋大学卒後、ＮＨＫに入社。番組制作・演出にたずさわったが退社し、アニメ脚本家として活躍。『鉄腕アトム』『デビルマン』など、アニメ黎明期から大量の有名作品の脚本を執筆してきた。多彩なシリーズキャラクターを生む。『アリスの国の殺人』で日本推理作家協会賞。『完全恋愛（牧薩次名義）』で本格ミステリ大賞受賞。

暇だとろくなことを考えない

――今日はよろしくお願いします！

辻　お願いします。ただ、僕はインタビューしにくいらしいんですよ。ここ（熱海のシニア向けケアサービス付きマンション）にずっといるようになって一番最初に取材に来たのがＮＨＫなんだけど、長いことといて結局何も使えずにお帰りになったりして。そのあと西村健[註1]さんも来たんですよ、作家になる以前に。で、ここでずっとしゃべってて、しばらくしてから「すみません、何も使えませんでした」って言われちゃって。

――どの話を聞いてもネタはある人だから、切り口が難しいのかもしれないですね。

辻　そうですね。でも、おかげさまでしゃべると少し思い出します。ここだと僕なんかまだ若いぐらいで、１００歳の方もいらっしゃいますから、そういう人たちと話すと話が通じんのですよ。かといって、うっかり大学（デジタルハリウッド大学[註2]名誉教授）でまたしゃべろうとすると、今度若い連中は僕の孫より若いから、しゃべっててもどうもわかってないな、この人たちはっていうことになってしまって。結局、何をしゃべったらいいかわからなくなって。

――大学で若い人と接してるから、まだ若い文化に接し続けている感じなんですか？

辻　逆で、いつまで経っても結局、戦前好きだったものがいまでも好きなんですよ。漫画がそうですし、漫画映画はまだディズニーとフライシャーしかなかったですけどね。それから探偵小説ですね。昭和11年に『怪人二十面相』が登場して、ほぼそこからリアルタイムで知ってますから。それからSFも活動写真も。ときどき学校で観る映画はまだサイレントだった時代ですけどね。

――そんな趣味がいまも変わらないだけ。

辻　ずっと同じことやってるんですよ。ただそれだけなんで、いいねって言われるんだけど、趣味がみんな仕事になっちゃったわけだからつまんないんですよね。ここのお年寄りの方たち、たとえばハーモニカをやるとか、あるいは女の人だったらお茶をやるとか、全然そういうのないんですよ。

――どんな作品を見ても、常に作劇的な部分でどうなのかとか気になっちゃったり。

辻　それはありますよね。よくない癖だとは思いますけど、人様が書いてるのを「僕だったらこうする」みたいなことを考えちゃう。テレビがそうでしょ。テレビが始まったときにこっちはもう仕事でやってたから、いまでもテレビ観てるとつい「そこ違う！」とか、つい本能的に出ちゃうから、これつまんないですよね。

――辻さんのツイッターを見てると、淡々とした語り口ながらも淡々とダメ出しするじゃないですか。毒舌ではないけれど。

辻　そう、言われてる方はたぶん気がつかないだろうけども（笑）。だからしばらくして考えて「あ、あの野郎！」って思っても、そのときはカッとしないというね。ただ、時間損したって思ったようなものは、書くのも無駄ですから、最初から書かないです。いまラノベ的なものを読むと、無駄と言っちゃ悪いですけど……。

——どうしてもハズレがある。

辻　ええ。中身何もねえじゃねえかっていうのがあるもんだから。それでもたまに、野崎まど[註3]さんなんかもそうですけどね、ときどき腰が抜けそうなすごいのもありますからね。だからやっぱり読んで楽しいですけど、漫画のほうはもっと多いですもんね。

——さすがに漫画は追いきれないみたいで、そこは反省が見え隠れしてますよね。

辻　そう！　ツイッターでは言い訳できるように、いまごろ読んだかいまごろ観たかシリーズって書いてますけどね（笑）。

——それでも、その年齢で追い続ける力があるのはすごいですよ。自分はいつまでできるんだろうって思いますから。

辻　そんなことおっしゃらないで（笑）。いや、惰性ですよ。仕事もそうですけど、ゲラがいつもそのへんにないと心配でしょうがないんですね。いつかとうとう食えなくなった、ここを売らなきゃいかんなっていうことになるんじゃないかって（笑）。

——基本、それがあるみたいですね。

辻　ありますね。やっぱりハングリーじゃなきゃダメじゃないですか。何も首吊れとは言わないけど、1日3食を2食ぐらいにしないと危ねえなっていうぐらいの緊迫感はあったほうがいいと思うんですよね。

――それは若い頃からそうだったんですかね。昔から、睡眠時間は削らず食事を削っていたタイプだったわけじゃないですか。

辻　いまおっしゃったのはNHKに入ってからですね。とにかくどう考えたって1日24時間じゃ無理な仕事の量なんでね。1日30時間ないとこれは無理だなという感じで。だから何を切ろうかっていうことで、ちょっと試してみたんですよね。2晩寝ないと2晩目はダメで。あの頃はフロアディレクターなんかやってケーブルを引っ張ってますでしょ。そうするとケーブルで柱の周りをグルッと回って、それで向こうに行こうとしたんで大道具がビックリして柱を止めたことがありました。だんだんと、よくわからなくなるんですよ。で、腹減ってますとカリカリするけど、その代わり頭に血が行きますから頭は回転しますよ。怒りっぽくなりますけどね(笑)。そうやって徹夜でコンテ切ったりしてると気がまぎれるというか、明日どういう病気で死ぬんだろうとか、そういうことはあんまり考えずに済みますからね。暇だとろくなこと考えませんよ。

15分あればいろいろできる

――とりあえず忙しくしてると、なによりもまず目の前の仕事を片付けなきゃっ、てなりますからね。

辻　細かい自転車操業ですよ。それがだんだん歳をとってくると、どんどん回りが悪くなるんですよね。やっぱり熱を出して38度、39度ぐらいになると嫌ですね、寂しくなります。テレビのときは38度や39度なんて熱に入らないし、出なきゃいけませんでしたけどね。中島そのみちゃんっていう東宝の女の子が40度の熱出して、リハーサル終わったんですけど帰ったらバタッと倒れてお母さんから電話かかってきて、「休ませてもらえませんでしょうか?」「生放送なんだから、あなたのお嬢さんはプロでしょ、プロなら来るべきです」と。ちゃんと来ましたよ。その次の週に僕が40度になって。これは出なきゃなんないよねー（笑）。

――そこまで言った以上は（笑）。

辻　もう救急車が表で待ってるわけ。本番が終わったあとは何も覚えてない。そういうの2～3人知ってますけどね。みんな40度になっちゃうんだけど、最後の最後、アップを撮るから「まだ、まだ」ってすぐ下でしゃがんで待ってて、「よし!」って言って、バターンと倒れて救急車。倒れるその女の子をスタッフが受け止めるわけ。

――うわーっ、それぐらいギリギリで。

辻　ええ。しかし、いま考えたら「伝染るよ」って言えばよかったんですよね。

――ですよね。いまはインフルエンザだったら「来るな」って言う時代ですけど。

辻　もっともインフルエンザにチョコチョコなるような人はだいたいダメでしょうけどね。僕が短い時間で寝られるようになったのは、森繁（久彌）さんあたりに教えてもらいました。森繁さん、15分で熟睡してましたから。とにかく往復がみんな車で、飯なんか食ってられないから、隣のアシスタントが飯を食わせて、お茶も飲ませてやるわけです。片方のアシスタントは台本を持って、それで次のスタジオ着くまでだいたい15分から20分。15分もあったら人間はいろんなことができます（キッパリ）。

——そうなんですか！

辻　僕も15分で1本コンテ切らなきゃいけないことがあった。僕じゃなくて僕の上司がやるはずの仕事だったんだけど、お父さんが車に轢かれて「代わりやってくれ」って、誰もいないわけですよ。僕しかいないから。だから内幸町のNHKの本館から出て築地のスタジオまで行く15分のあいだ、車のなかでコンテ切るわけです。気持ち悪いですね、車のなかでやるのは。体おかしくなりますよ。でも15分でやりましたね。

——15分あればなんでもできる、と。

辻　ええ、いろんなことができます。自分のことならやりますけど、役者が来ないことがある。あれは嫌な気分だけど仕方がないから、こっちが注文できる男に「とにかく代役やってくれ」って言うんだよ。まだドラマが生放送の頃だから、みんな状況はわかりますでしょ。カメリハにも来なきゃ、これはヤバいと思いますから、代役は真っ青な顔して少し震えてたんじゃないかな、「やります……」って。そしたら本人、坂本新兵[註4]ちゃんってタレントなんですけど本番前に来ちゃったんですよ（笑）。

――『ピンポンパン』のシンペイちゃんが！

辻　「役者が来たからやめてくれ」って、どうやって言ったか覚えてないですけどね。どんどんカットしてるうちに、その人の出番が全然なくなっちゃったりとかありました。これは藤村有弘[註5]がまだ日活で有名になる前ですけど、あれは悪かったな。あのときの彼の顔、忘れられないですね……というような話を今回はしてと取材依頼では言われたけど、こうしてしゃべっておかないと自分で忘れちゃうんですよね。ほぼみなさん死に絶えてると思いますから。

――何が本当なのかは、当時生きてた人じゃないとわからないじゃないですか。手塚治虫が漫画界を変えたと言われているけど、その前からそういう漫画はあったんだ、みたいな意見も最近出てきたりで。

辻　ああ、それはありました。いわゆるコマ漫画は樺島勝一[註6]の『正チャンの冒険』のほうがはるかに古いんですよ。手塚先生が何が新しかったかっていうとコマ割りではなくて。それまでは、たとえば『のらくろ』なんかは、読んでいく時間と劇の時間がほぼ同じようになってるんですけど、手塚先生は、『メトロポリス』なんかで1ページつかって「たいへんだー」っていうセリフだけ同じなんですけど、1コマ目は人間が小さく見えてて、その次はもっと大きくなって、もっと大きくなってもっと大きくなって、最後に「たいへんだー」って言ってるのは、その男のノドチンコが叫んでる。そういうのを1ページでやってるんですよ。それが手塚先生以前の漫画だと1コマで、ロングで済んでるわけですね。そのあたりが全然違う。要するに立体的に時間を刻むことができたのは手塚漫画から。それ以前からずっと読んでるから間違いないです。

——その衝撃をリアルタイムで味わって。

辻 おそらく戦前に上製本で出てる漫画は全部読んでると思いますよ。いまの漫画評論の方よりはたくさん古い本を知ってる。新しいのは間に合いませんけどね（笑）。

——相当頑張ってるほうだと思いますよ。

辻 でも時速3冊はなんとかキープしてます。しばらく読まないと、すぐ1冊読むのに30分かかるようになるんですよ。しかも神経痛のおかげで漫画喫茶に行けなくなったの。漫画喫茶って、上のほうの棚にあるのは誰でも知ってるヤツですよ。『ONE PIECE』や『BLEACH』なんて、いまさら読んでもしょうがないんだから。それで下のほうにあるヤツを探そうとすると、目が悪いでしょ、仕方ないからしゃがんで、やっとこれだと思うのを見つけても、今度は立てないんです。そういう状況になっちゃったんで、もう漫画喫茶ダメですね。

僕の肩を持ってくれない

——アニメは配信で観ているわけだけど、漫画も電子書籍で見ようとは思わない？

辻　それはそうなんですけど、漫画は見開きがうまくいかないでしょ。それ用にできてないから仕方ないんですけど。電子本、一番最初にまだフジテレビが金を出してやり出したとき、誰もそんなもの書く人いないから、出来合いの本でいいから出してくれって言われて、著作権協会（日本文芸著作権保護同盟）から話が来たもんですから、僕とか菊地（秀行）[註7]さんがそっちの理事やってたんで、犠牲的に。

――犠牲的に（笑）。

辻　そう。しかし、せっかく出すんだしミステリーですから図版やなんかも電子本ならきっとやりやすいだろうと思って、路線図のある『急行エトロフ殺人事件』を差し上げたんですよね。そしたら驚いたのは、まだ鉄道のだんだら模様のあれも出せませんでした。どうするんだろうと思ったら、×印をダーッと並べて、それがレールの代わりなんですよ。そんなもん誰も読むわけないよね。僕はアニメの著作権ずっとやってましたけど、そのときは文芸著作権で、菊地さんと一緒でしたから。30年近く前じゃないかな？　そういうことばっかりでね。

――新しいものでも、まずやってみて。

辻　断りゃいいのにやるんですよ。それで「そんな早くやるからバカを見るんだよ」って言われるんですけどね。アニメの著作権だって、ホントそうですよね。いま脚本家連盟（日本脚本家連盟）の監事やってるんですけど、僕が動画部長やらされたときはまだゼロだったものが、アニメの手数料だけで〇〇億円ぐらいじゃないかな？　それも手数料だけですからね。脚本料じゃないから。だからうらやましい……うらやましがってもしょうがないけど（笑）。でも、いまアニメの脚本を書く人たちは自然とお金が天から降ってくると思ってるらしいですから。そんなことやるもんだから東映から干されたりして。

――ダハハハハ！　そうだったんですか！

辻　そうです。だから僕についてきてくれた人が2人いたけど申し訳なかったですね。あとの人たちは「頑張ってください、期待してます！」と言いつつ横で契約書に判を押してやがる。せめて足引っ張るなよ！

――ダハハハハ！「賃上げしてくれたらいいなー」ぐらいの感覚なんですかね。

辻　賃上げというより二次著作権ですね。

――再放送とかのお金の問題。

辻　そう。たとえばテレビの脚本なんだけど、向こうの理屈としてはテレビの脚本料は払ったんだから、テレビ以外に使う権利はみんな俺のもんだっていうことなんですね。こちらは脚本料をいただいたけれど、それは脚本の使用料であって買取ではないんだっていうところでチャンチャンバラバラですよね。特に映画関係は活動屋さん、香具師の世界でしょ。だから話が通じないんですね。だって最初の頃、「あなた、僕の脚本作品を韓国でもやってるじゃないですか、あれ金もらってませんよ」って言うと、向こうは勘違いして、「……あ、アメリカでやってるのバレましたか」って。

――アメリカでもやってた（笑）。

辻 内緒でやってるんですよ。その点、音楽著作権は早かったですね、鹿児島のキャバレーでやってるって聞いたら、それ行けって。だからビルが建ったわけですけど。

――70〜80年代にアニメや特撮の再放送があんなに多かったのは、そういうことですよね。お金が全然かからなかったから。

辻 それから再放送じゃなくても、地方の局なんかで「ウチでは初めて流す」とか、そういうの全部は取れないですけど。『オバケのQ太郎』[註8]なんて1万円でしたもん。

――え？

辻 放送局がお金を取ってるのは。地方の局ですよ。民間放送で一番古いのは名古屋のCBCで、僕もNHKにいたときにあそこでずいぶん内職やりましたけど、名古屋でさえスポンサーひとつじゃ無理なんですよ。スポンサーが4つ、持ち回りで局に金を出すわけですね。こっちはそのたびに、「今週はメガネね、じゃあメガネの話のミュージカル、その次は呉服のミュージカル」って、そういうふうに考えるんですよ。

――そこまでスポンサーに歩み寄って。

辻 歩み寄らなきゃ出るわけないですよ、お金が。アニメだってみんなそうですよ。森永（製菓）提供の『宇宙少年ソラン』[註9]で、「あんた明治（製菓）さんの仕事もやってるんですか？」って怒られましたからね。「不二家もやってるんです、すみません」って（笑）。みんなやってたんですけどね。だって森永の仕事だけじゃ食えるわけないんだから。そういうのが、おわかりにならないんでね。

——しょうがないですもんね。

辻　でも、向こうからすると全然しょうがなくないんですよ。だから、「しかるべき筋を通して脚本料を上げなさい、私の責任ではないけども」っていうことですよね。

——ちゃんとお金がもらえるんだったら、こんなに仕事しなくていいんだっていう。

辻　そういうこと。それを「あんたたちが悪い」って言われるわけですから。僕のあの頃の脚本料って、『ジャングル大帝』は1本5万で、『エイトマン』が2万ですよね。でも、予算としては1万円でも下げたいわけだから。プロデューサーも「悪い、視聴率が20パーセント超したらもうあんたダメね」って。実写だと20パーセントを超すと先生になって、喜んで「次もお願いします」でしょ。アニメはそうじゃないんですよ。20パーセント取ると、「視聴習慣はもうついたから、この番組にはもうあんたいらない」とハッキリ言うわけです。

——あっさり切り捨てていくんですか！

辻　そうです。僕、シナリオのそういう委員やってましたから。倉本聰[註10]さんがＮＨＫで『勝海舟』[註11]をやったとき、あの方はきちんと脚本の読み合わせに出てくるんですよ。それが若いディレクターには非常に煙たかったらしくて、なんだかんだ文句言ってて。で、上のプロデューサーも倉本さんにそう言ったらしいんですね。そしたら倉本さんが怒って、「なんで脚本家が読み合わせに出られないんだ！」って。あのあと倉本さん、僕たちの前で泣きましたよ。それはもちろんＮＨＫが悪いんです。ＮＨＫはそういうところがありますよ。

――渡哲也さんが途中降板して松方弘樹さんが主演した、あの『勝海舟』ですよね。

辻 ええ。あのときは役者さんがみんな倉本さんの肩を持ってくれました。ところが『オバＱ』や『タイガーマスク』は、僕の肩を持ってくれなかったですねえ……。

――ダハハハハ！　当時あれだけ国民的な人気で、すごい支持されてたはずなのに！

辻 一銭でも脚本料を上げるなんて言わないもん。その代わりどんなに偉くなっても、お茶を持ってこいって言わないですよ。とにかく東映に干されたおかげで、仕方がないから漫画の原作とかやったりして。

――仕事の幅が広がって。

辻 そういう言い方もありますね（笑）。

バリアはパリンと割れる

――ボク、東映の近くに住んでたんで。

辻 大泉の？

――はい。中２のときにいろんな仕事をしてる人に話を聞くっていう授業があって、ボクは趣味で東映のアニメーターの話を聞きに行ったら、子供相手にヘヴィな話ばかりするんですよ。いかに会社として問題があるのかとか、給料が安すぎて賃上げ闘争やってるだとか、ストもやってるだとか。

辻　ハハハハハ！　昔はね（笑）。あの頃は打ち合わせるところもないんですよ。青山通り歩きながらプロデューサーとふたりで打ち合わせしました。あのあたりでちょっと座ると誰かに捕まりそうだったから。

――ボクが取材したのは84年とかでしたけど、その時代もまだ殺伐としてましたね。

辻　その頃になると僕は、東映は東映でも、東映の本社のほうが忙しくなっちゃってましたね。東映動画ばっかりマーチャンダイジングやらすともったいないというんで。だって黙っててもお金が入るわけでしょ、マーチャンダイジングは。それはぜひ本社でもやるべきだって。その発想、子供のオモチャを取り上げる親かっていう（笑）。

――ダハハハハ！　まさに！

辻　こっちは仕事があるならいくらでもやるんでね。飯島（敬）[註12]プロデューサーだけが動画から本社のほうに引き抜かれて、飯島さんに「今度こっちに移ったんで、仕事あるから来てよ」って言われてホイホイ行って、スポンサーにバンダイさんが決まった。バンダイさんで5つ組み合わせるロボットということも決まってるわけですよ。

――というと、つまりそれが『超電磁ロボ　コン・バトラーV[註13]』だったわけですね。

辻　そう。で、ホン（脚本）は書くけれども、誰が絵を描くってなったら誰もいない。あれは驚いたですね。誰もいないんですよ。飯島さんと僕しかいないんですよ。どうすんだよっていうんでね。それで「じつは『勇者ライディーン』[註14]っていうのがおもしろい。『ライディーン』のあのメンバーがもうすぐ終わるはずだから富野（由悠季）に頼もう」っていうことでやり始めたんですね。で、さてコンテにってなったら、制作プロの手が空かないんですよ。どうも評判がいいんで、あと半年続くらしい、と。だから最初にコンテ切ったのは東映エージェンシー、『タイガーマスク』の頃に僕のコンテ切ってた及部保雄[註15]さんだったんですね。

——そうやってスタッフを集めて。

辻　それで、さあやろうとなったら、結局最初の予定どおり『ライディーン』は終わるらしいよって、行ったり来たりの往復ビンタで。それでさらに富野さんがダメで長浜（忠夫）[註16]さんになっちゃったんですよ。結局あれ7回書き直ししたんですけど、5回目か6回目から役の名前も面倒くさくなって、勝手にせいって。だから最初は東京と大阪と、それから名古屋だから「名古屋丸八」とか名前つけたんですね。そのへんみんな吹っ飛んじゃって、途中から誰か麻雀好きなヤツが東南西北でやってくれっていうんで、それで南原ちずるとか、北小介とか、こういうのが生き残ったんですよね。おもしろかったですけどね。たしか、身長57メートルでしたっけ？

——そうです。体重550トンで。

辻　あんな大きいのやったの初めてですから。あと、作中でバリア張ってもらったんですよ。でもあれ、どう見てもプラスチックですよね。あれはＳＦの人に笑われた。「東映のバリアは割れるの？」って。

——『マジンガーZ』の頃から、バリアはパリーンと割れるようなものだって刷り込まれてますから、ボクらの世代は（笑）。

辻　ハハハハハ！　そういうことでは新しいもの好きらしくて、マイクロソフトの名前を小説で出したのは僕が一番最初だそうですね。まだソノラマ文庫の頃ですから。孫正義もまだ学生で、自分の特許をシャープに売って、それでアメリカの大学に入り直したと知って、それを小説に書いたんですよ。まさかこんな偉くなると思わないから。まあ、テレビもこんなにみんな観るようになるとは誰も思わなかったですよね。

——あのとき作ってた側としては。

辻　ええ。東宝の人たちも、「こんなくだらないもの半年もやって」って言ってたし、島崎雪子[註17]さんにも面と向かって言われたな。「あなた大学出てるんですって？　それでこんなことやってるの？」って。

——こんなこと（笑）。

辻　ロケ行ったらボートが沈みかけてたんで、これの中の水を汲んじゃえばタダでボート使えるな、と。とにかく予算がないですからね。だから水を汲み出してたところを写真に撮られて言われました。大学を出てるって笑われたのは、『漫画アクション』の連中（双葉社では横山光輝に『戦国獅子伝』[註18]を提供）が大勢集まったときも言われましたね。棚下（照生[註19]）さん、松山容子[註20]の旦那ですね。とか漫画の連中で飲んでるとき、「大学を出てるヤツいるか？」って言われて手を上げたのが僕とふたりだけで。僕、「そのあとNHK入った」と言ったらみんなゲラゲラ笑って、当分笑いが終わらない。ギャグだとしか思わない。「NHK出たヤツがなんで漫画やってるんだ」って言うんですよ。逆にNET行ったときも、昔一緒にNHKでディレクターやってた人間に「あんた漫画やってんの？　ワッハッハ」ですよ。

——テレビまんがと呼ばれてた時代のアニメの位置の低さってすごかったんですね。

辻　でも、あの頃はもう『もーれつア太郎[註21]』があって、私はニャロメでNETを立て直したっていう自負があるんだけどな。

——お金は相当動かしていたはずですよ！

辻　そのはずですがね。でも、ひどかったですよ、台本なくされたりとか。受付の女の子に渡したんだけど、見つからないんです。漫画の台本なんて目じゃないんでしょ。しょうがない、もちろん書き直しです。

放送事故はあたりまえ!?

――結局、社会的にも金銭的にも報われない感じではあったたっていうことですよね。

辻　どっちみちね。そもそもＮＨＫに入ったとき、小学校の先生よりも給料は安かったですから。で、『島原の子守歌』[註22]ってあるじゃないですか。あれを作詞した人がＮＨＫにいたんだけど、それからテレビのほうに来て僕の下にいたんですね。彼は僕の親父ぐらいの歳ですけど、彼のやり方は、まず一升瓶を自腹で買ってきて、それを大道具のほうにバーンと置いて「よろしくな！」って言うんですよ。これじゃなきゃダメだなって。だからとにかくテレビ入ったら、何はさておきボディビルですよ！

――え？

辻　だって道具やフィルムやなんか、みんな自分たちで持たないといけないですから。それから揉めたときにケンカになれば、腕力も必要ですよね。渋谷の宮益坂にボディビル専用のジムが初めてできたら、みんな見に来るんですよ。窓が大きくて外から見えるから、私みたいなモヤシみたいなのがやってると。で、1年やったらさすがに大道具さんとガチで腕相撲やって大丈夫でした。半年でまた戻りました（笑）。

――実際、ケンカはしたんですか？

辻　殴られるのはありました。こっちが殴ったら何も言えませんから、ケンカになったらおしまいですよ。それは両成敗ですから。でもこちらが殴られるのは中学の頃で慣れてましたから。ただ冬に殴られると口の中があかぎれになって外がしもやけになるんですよ。だから、殴られるならなるべく暖かいときのほうがいいですね。しかしそういうのもビンタですから、グーでまっすぐに来られると、僕なんかは絶対動体視力がないから、とてもダメですね。あれで歯が欠けました。だってあの頃、NHKといったってテレビの大道具小道具はNHKのなかにいるわけないんだから。全部崩れですよね、活動崩れ、芝居崩れですよ。

――つまり、血の気の多い人たち。

辻　ええ。結局1年か2年ぐらいしかそういう制作進行やってないんですけど、ホントにいろんなものをやりました。紙芝居って言ったらおかしいけど、パタン台に絵を4枚ぶら下げて、キューが出るとパタン、また出るとパタンっていう具合に4コマ見せて2～3分持たせる。それが最初のテレビ漫画です。それで一番おもしろかったのは、ちょうどその頃、マジックインキが出たばっかりだったんで、小道具の男の子がそれでエロ絵を描いたわけですよ、アソコの絵を。それで本番が始まって、パタンとやるとエロ絵がパッと出たわけ（笑）。

――ダハハハハ！　放送事故ですね。

辻　アソコが出ちゃって、「あーっ‼」ってそいつ、伏せようとして自分の手が映っちゃって。これは僕の知る限り、一番NHKにあるまじき行為でしたね（笑）。

――でも、生だからどうしようもない。

辻　それは若手だからいいけど。効果で一番の大チーフの人かな？　ラストシーンで対角線に撮ってたら、もう終わったと思って道具を片付けに行っちゃって、慌てて戻って来たけど往復ビンタ。それがふつうでしたね。雪村いづみ[註23]も往復ビンタですよ。

――うわっ！

辻　あの人、すごい近眼なんですよね。カメラがこう来て、ふつうわかると思うんだけど。そしたら「ごめんなさい」って前をかき分けて行っちゃったの。僕もいっぺんやってます。『神州天馬狭[註24]』ってタイトルを書いた額がデカいから置くとこなくて、結局足元に立てかけておいて、それをカメラで狙ってたんですよね。私はまさかそんなところに大事なメインタイトルがあると思わないから、そこを通っちゃって。僕はたぶんあれ1回です。でもかなり優秀な人がやるんですよ、名誉の負傷です（笑）。

――ダハハハハ！

辻　でも、生放送って自分で見られないでしょ。「キュー！　キュー！」って言ってるだけですからね。だから芸術祭参加のミュージカルで菊田一夫[註25]さん脚本の『スポンヂの月』っていう、放送当日の午前1時に台本ができた番組があるんですけど、あれも残念ながら観られなかったんですね。

――ある意味、伝説の番組ですよね。

辻　だって、あれはやらせるほうが無理ですよ。放送当日の午前1時に台本が出来上がって、それがミュージカルで生放送でしょ。できるわけがないんです、どう考えたって。でもNHKはメンツがあるから「やれ」って言うわけ。だから森繁さんは怒ってやめちゃった。前日の夜11時頃まで待って台本がないから。無理ですよ。1文字もないんですよ。会長はもういないから、局長に直談判して、「俺は帰る」って言って帰っちゃったんですね。三木のり平[註26]さんと草笛光子[註27]さんはそこまで度胸ないから残ってる。でも困るんですよ、代役を立てていいのか悪いのかわかんなくて。でも、これだけ待っても来ないんだから、これは来ないだろって。三木のり平さんと草笛光子さんも結局、降りちゃいましたからね。放送後、「辻ちゃん、あれやってたの？　ワハハハ！」「そんなに言ったらかわいそうよ」とか言われて、これよっぽどひどい出来だったんだなってよくわかりました。

——反応を見ただけでわかった（笑）。

辻　そう。だって番組の始まりが20分遅れて、終わるのが40分遅れたんですよ。

——そういうのってありだったんですか？

辻　ないですよ。ありえません！

——生放送時代でも有り得ない出来事！

辻　そうですね。あれは本来、責任者は会社やなんか辞めるべきですよね、みっともない。

——それぐらいの責任問題だ、と。

辻　そうすべきですよ。でも、これについてマスコミが聞きにきたときキノトール[註28]さんが「いや、俺NHKに殺されたくないから言わない」って言ったそうです。そういう状況でした。私は一生懸命やりました。

ライオン・キングはパクリでしょ

——結構貧乏くじを引くタイプですよね。

辻　そうですね。だって独身で給料一番安いのが僕だからしょうがない（笑）。

——以前、この連載シリーズで富野由悠季監督に出てもらったとき、『海のトリトン』の話だけ聞く企画をやって西崎義展さんとの関係も聞いたんですけど、辻さんは最近（インタビューは2016年の春頃です）、西崎さんの本を読んだ流れで西崎さんのことをツイッターで書いてましたね。

辻　ヘヘッ、だいぶ僕のほうに来そうなものを富野さんが被ってくれたかもしれませんね。あるいは『巨人の星』なんかを描いた人が西崎さんに文句を言ったりなんかして、「辻さんもこう言ってる」って言ったっていうんで、僕の名前出すことはねえだろと思ったんだけど（笑）。西崎さんは一番最初にチラッと虫プロ商事で見かけたときから、お付き合いしたくない感じでした。

——チラッと見てそう思うタイプ（笑）。

辻　向こうもたぶん気がついたと思いますよ。そのとき、ある人にものすごい勢いでガミガミ言い出したんです。こっちに見せつけるためにやってるんだっていうのがよくわかったんで、そのまま失礼しました。

――だから接点はほぼないまま終わって。

辻　『海のトリトン』は西崎さんがプロデューサーだって知らなかったんです。富野さんだっていうから受けたけど、なんにもこっちには一切きませんでした。ただ、富野さんの設定を聞いてるうちに、かなり目ぱちくりしたもんな。「大丈夫？　これ『海のトリトン』？　僕は何をやってるんだろう？　もうこれ原作ねえな」って。

――原作と全然違いましたからね（笑）。

辻　『リボンの騎士』のとき富野さんに感心したんですよ。演出の人とそう細かく話さないけども、これはすげえなと思ったのは富野氏と、セリさんですね、芹川有吾[註29]。『サイボーグ009』の。あの人は1行で5分作っちゃうもん。それから、とうとう打ち合わせもしなかったんだけど、あいだにプロデューサーが入って、「ごめんね、若い演出がこう言ってるんだけど、これなんとかなりませんか？」って言ってきたことがありまして、こちらはそこを突かれると非常に弱いというか、原作では非常にいいキャラクターなんだけど、尺数が延びちゃったんで思い切って切っちゃえ、文句言われなきゃいいやってやった、こちらとしては非常に痛いところを突かれたんですよ。そこを、「これぜひ入れたいんだけどと若い監督が言ってるんだけど、なんとかなりますか」って言うんで、「なりますなります、すみません」って謝ったんだけどね。それがまだ出て間もない頃の押井守さんでした。

――『うる星やつら』ですか?

辻　そうです。あれは感心しました。ただ逆にNETで、ちょっと変に買いかぶられてしまって、僕の前でプロダクションの監督に「この人の台本は変えんように。きちんとした脚本になってるんだから、ちゃんとやりなさい」と言った人がいて。それを僕の前で言われたんじゃ演出は立つ瀬がないですよ。あれはホン屋の前で言っちゃいけないんだけど、それだけ大事にしてくれたんだから僕としては文句ないですよね。

――変えられないほうがいいんですね。

辻　だけど『アンデス少年ペペロの冒険』[註30]で驚いたのは、最後のところで水攻めになって、洞窟のなかでだんだん空気がなくなってどうなるか。どうなるかっていってもどこにも空気が逃げるところがないんだったら、一定以上空気が圧縮されたらそれ以上は水が上がりませんというのがオチになってるんだけども、時間がなくなったんでって、そこカットされて。観ててすごい消化不良でした。終わってないんですよ。でも「脚本はどこも直してない」って言うんですよ。「ただ最後カットしただけです」と。

――もっとひどいですよ、それ、それ!

辻　ホントそう!　それは時間に入らないからやむをえずってことなんでしょうね、監督としては。そこ直さないって、それちっともよくないですよ。こっちにそう言ってくれたらすぐ直すのに。あれは驚いた。だから大勢でやる仕事って誰かが偉くなったらダメ。みんながギャーギャー言って殴り合いじゃ困りますけど、やっぱり初期の『ジャングル大帝』の頃はよかったです。その代わり、答えがない問題が出てくるでしょ。あれ子供から投書があったのかな、「レオは何を食べてるんですか？」って。

――ああ、肉食動物なのに。

辻　そう。平気で子鹿やなんかがレオに懐くでしょ。「どうしてああいうことができるんですか？　動物を食べないと痩せて死ぬんじゃないですか？」と。さあ困った。それで、虫プロにいるわれわれ全員で考えました。何か方法はないだろうかって。

――そこに手塚先生は加わるんですか？

辻　手塚先生は参加せず。りん（たろう）[註31]ちゃんとか、もり・まさき（真崎守）[註32]ちゃんとか、山本暎一[註33]さんとかそういう連中ですよね。考えた結果、どこまでだったら食べて嫌じゃないだろうか、それを絵で見せることで。脊椎動物は絵で見せるのはちょっとつらいから、昆虫なら大丈夫だろうということになったんです。イナゴが猛然と押し寄せて来る、これを捕まえて洞穴の中に入れといて食べるということにすればいいんではないかという結論になりまして、それで『気ちがい雲』というタイトルでやったんです。これを何べん目かの再放送でやろうとしたら、『気ちがい雲』というのがダメなんですよ。結局、一番手間がかかるのは日本のお役人だ、文部省だってことがよくわかりました。それは困りました。

編集　そういえばいまやってるディズニーの『ズートピア』も、肉食動物は虫を食べて生きてるっていう設定ですよね。

辻　そういうの、みんな『ジャングル大帝』観てるんですよ。でも、ディズニーは『ジャングル大帝』を観てないんですって。『ライオン・キング』でハッキリそうおっしゃってる。どう考えてもあのサルの参謀は僕がこしらえたマンディのパクリだと思うんですけどね。手塚原作の『ジャングル大帝』にあのサルのキャラクターは出てこないですから。僕は著作権のほうやってましたんで、著作権の弁護士なんかに相談しましたら「遊んでる金が3億円あったら裁判やりなさい」と。「完全に負けても3億円あればなんとかなる」ってことで。

——向こうの経済力は桁違いでしょうから、そこと闘うには3億円は必要だ、と。

辻　ええ、どうしようもないですね。裁判でアメリカに行くなんていったら仕事なんかどうにもならないですから。あのとき里中満智子さん[註34]やなんか、みんな応援してくれたんだけどね。あのときの手塚プロか誰かの「ディズニーが真似してくれれば光栄です」ってコメントが出ちゃった。これはいかんですよね。こういうのを言っちゃいけない。だって、われわれは『鉄腕アトム』なんかタダでもいいからやりたかったんですよ、ホントに。1回終わると山のようにファンレターが来るでしょ、あれがギャラなんですよ、われわれからすると。でもそんなこと言っちゃいけないんですよ。

殺したいぐらいの男たち

――よく言われるじゃないですか、最初に手塚先生がそういう姿勢でやっちゃったもんだから、アニメが低賃金になったって。

辻　でも、そういう姿勢じゃなければ始まらなかったんですよ。しかし手塚先生をあのあと2年3年経って説得したところでダメだったでしょうね。だって虫プロって、「やっぱり労働組合も作らなきゃいかんですよ」って言って、手塚さんがノコノコ、「私が組合委員長やります」って言い出したから、ちょっとやめてくれって（笑）。

――あなたの会社ですよ（笑）。

辻　豊田有恒[註35]さんや僕は虫プロで『ジャングル大帝』からお手伝いしましたよね。虫プロに机はありますけど、冗談で「僕たちにもボーナスおくれ」なんて言ったらホントにもらえちゃった。社員じゃないのに。シナリオの第一稿より先にギャラ出たこともありますよ。「ウチは早いでしょ」って事務の人が威張ったけど、それは威張るもんじゃない。もはや潰れる寸前ですよね。

――それじゃ会社は持たないですよ。

辻　持たないですよ。だけど、「手塚先生、もう少し抑えて」って言えるような人いないですもんね。虫プロで僕が豊田さんとか漫画の連中やなんかとしゃべり出すと、手塚先生も中二階の仕事場からトントンと降りてきて、「ちょっと5分だけ」って言ってしゃべり出して。こっちも悪いんですけど、いくらでもお互いしゃべるでしょ。だから『少年マガジン』だかなんだか覚えてないけど、真っ青な顔した若い男が入ってきて拳が震えてるんですよ。「先生、いい加減にしてください！」って。

――担当編集者が激怒して（笑）。

辻　全員シーンとなって、先生が「はいっ！」（笑）。あれがもう少しいくと、怒った編集者が包丁を出してくる話になるんですけど、手塚伝説っていっぱいありますね。先生が契約のことで初めてアメリカに行くとき全員で羽田に送りに行って、「落ちて死ね！」って全員で言ったり（笑）。

――ダハハハハ！　それが総意（笑）。

辻　よくみんな言ってたのが、「まだ手塚先生来るわけねえよ、あの先生は1時間経たないと来ないから」ってことなんですけど、これはホントで。僕はNHK時代、手塚先生と『ふしぎな少年』[註36]ってドラマを作るときの打ち合わせもそうでした。でも、こっちはもうわかってるから驚かないし、向こうも言い訳なんかしない。テレビの連中だってその頃みんな一番忙しいから、人っこひとりいないですよ、プロデューサーの部屋。だからたいへん静かにゆっくりと打ち合わせできましたよ。あのとき、「僕より僕の漫画のことよく知ってますね！」って、それで信用してくれてたんですね。

——漫画を読んできてよかったっていう。そういえば辻さんのツイッターで驚いたんですけど、実現しなかった幻の企画が多数存在して、その中にジョージ秋山先生の『ザ・ムーン』[注37]とかが入ってたことで。

辻 ええ、たくさんありますね。あれは僕がやりたくてね。でもジョージ秋山さんはその前に『パットマンX』[注38]で味噌つけて。

——味噌つけたんですか？

辻 ジョージさんがじゃないですよ。テレビ局のうるせえのが、これはもうすぐ出る僕の本でモデルにして殺してますけどね。

——ダハハハハ！ そうなんですか！

辻 あとがきには一応モデルはないって書いてるけど。そのとき「子供が三輪車に乗るのはいいけど、それが刀を携えて悪者と闘うとは何ごとだ。そういう子供らしくないものを主人公にするな」とおっしゃるんですよ。困っちゃってね。あの人が出てくるといちいち困るんですよ。だからあの人が出てくるんで『巨人の星』から『タイガーマスク』から潰れましたよ。みんな、よみうりテレビに行ってるでしょ。日テレではできなかったんです。その人がゾロゾロ大勢手下を連れて来て、なんだかんだ文句言うだけ言ってやらないわけですよ。

——それで殺したいぐらいだった、と。

辻 『男どアホウ！甲子園』[注39]の第1回やったら、当然みんな関西弁ですよね。日本テレビの社長が怒ったっていう、これも伝説ですよ。「おかしい！　東京でやるんだから東京弁にしなさい！」って。だから第2回から全部標準語になったの。そしたら、これはおかしいってことでめちゃくちゃ叩かれて、3回目からまた関西弁になって。

――それこそ、どアホウですよ（笑）。

辻　社長がどんなに文句言っても、それはプロデューサーがそれなりの権力持ってるんだから、社長を騙してでもごまかしてでも殺してでもいいから現場が正しいと思ったらやるべきで、そうじゃなかったらその企画は捨てるべきですよ。当たり前のことなんだけどね。でも、そういうのはNHKのときもあって、刃物を持たない運動でNHKの会長が「そうだそうだ、子供に刃物なんて持たせちゃいけない！」と言いつつ観てたのが『月下の美剣士』[註40]だったんですよ。南條範夫[註41]原作でチャンバラでやたら人を斬って、「こういう番組はいけない、これはどこの局だ？」「NHKです」って言ったら「これはダメだ！」と怒ってね。

――時代劇はそういうものなのに！

辻　仕方がないから次に柔術の名人を出したら、「人を投げ飛ばすとは何ごとだ」ってまた会長が怒ったの。結局、一番最初に怒って降りたのは原作の南條範夫さんですね。その次に主役の加藤（博司[註42]）君が、あれはかわいそうだったけど、1本か2本主役撮っただけでおしまいです。刃物持たない運動でふたり死にましたよ。僕は『ふしぎな少年』のほうでタイムスリップでお家騒動のお姫様がチャンバラしながら東京の団地に来るっていうのをやりました。で、「刃物を持たない運動が……」。「わかってますわかってます！」って、団地の真ん中に「刃物を持たない運動」の看板を立てて、その前でチャンバラやってました。

――挑発的すぎますよ！

辻　怒られた怒られた。まあ、怒られてもいいんですよね。生放送なんだから放送は終わってるもん。出世が止まるだけだからいいんですよ。……しかし、こき使われたもんな。ビデオが始まったとき、カラーが始まったとき、帯ドラマが始まったとき、みんな僕ですよ。なんとかなったからいいけどね。とにかく、言われたとおりやるのはわけないってこと。言われたとおりのことしかやらないのは腹が立ちますが。

幻の企画は観たいものだらけ

――辻さんはおとなしそうに見えて、そういうデストロイな部分もありますよね。

辻　言われたとおりやってるんだから、決してNHKを裏切ってはいませんよ。僕、だいぶNHKに貸しがありますから。とにかく稼いで書かなきゃいかんですからヒーヒー言ってたし、映画で缶詰めになったりもしましたね。あの頃は電話がないから、電報打たれたことあります。築地の旅館に缶詰めになってたとき「デテコイ　NHK」って電報が来ました（笑）。やっぱり両方掛け持ちできないなってわかりました。

――NHKと、そういう外部仕事との掛け持ちは会社的には大丈夫だったんですか?

辻 いや、大丈夫じゃないです（あっさりと）。大丈夫じゃないけど、そのへんは私トロいんで、NHKでテレビミュージカルを大々的に募集してたんですよね、入賞30万円ぐらいで。あの頃、僕がまだ月給2万もなかったですから、みんなは冗談だったんですけど、「俺応募する！」「俺も書こう」なんて言ってたんですよ。僕もやろうって言って、僕だけ本気で書いちゃったんです。しかも、本名で点が甘くなったりするとほかの人に悪いからっていうんで、わざと知ってる人の子供の名前使って応募したんですよね。あのときは飯島正[註43]が選者でしたから、飯島さんの喜びそうなものを書いたんです。で、入賞して。ところが「誰だ?」「こんなことやるのは辻だろ」ってすぐバレて。

――あっさりと（笑）。

辻 だから全然銭になりませんでした。で、2年目は少し頭よくなって、ふたり大人の人に頼んで名前を借りて2本書いて。2年目は選考が野口（久光[註44]）さんだったので、野口さん好みのを2本書いたらこの2本が決戦になっちゃったんですね。で、どちらも入賞しちゃったんですよ。でも、賞金は名前出した人ふたりと山分けなんで、すごく損した気がしましたね。でも僕ってことがバレなかったから、ちゃんと銭になりました。で、3年目もまたやって入賞しました。で、とうとうあきらめて3年でNHKのテレビミュージカルの懸賞は終わりました。だから私は百戦百勝です（笑）。

――「どうせまたあいつが送ってくるんだろうから意味ないよ」って感じで（笑）。

辻　そうそう（笑）。要するに、いつも選考する人に合わせて書いちゃいますから。

編集　そろそろ写真を……。

辻　結局、何を話せばいいんですか？

――ダハハハハ！　こんなに話してくれたから、もう十分ですよ！　ちなみに『ザ・ムーン』はご自分で読んで、リアルタイムでこれは面白いと思ったわけですか？

辻　絵になると思ったんです。それで少しパクりました、『（超電磁ロボ）コン・バトラーV』で。

――え！　そうだったんですか！

辻　みんなが気持ちを合わせないと巨大ロボットが動かないっていうところですね。『ザ・ムーン』の場合は気持ちを合わせるとランプでパパパッて額に光が横に点いていく。あれはわかりやすいですよね。『コン・バトラーV』はそれを縦にしちゃいましたから。元ネタは『ザ・ムーン』です。

――なるほど！『漂流教室』[註45]の企画も流れちゃったそうですけど、アニメですか？

辻　実写ですね。『漂流教室』は、こちらの予定ではお母さん役は八千草薫[註46]で、八千草さんはギャラが高いからそこだけ全部まとめて撮ってしまう。先に脚本が2クール全部でき上がっていればそれができるから、非常に安くつくはずで。そのぶん子役と、それから教室、運動場なんかをガッチリやろうというような計画だったんですけど。

――鴨川つばめ先生の『マカロニほうれん荘[註47]』も企画が流れちゃったみたいですね？

辻 『ほうれん荘』は完全にプロットはでき上がってました。あれはどの線で潰れたのかな？ フジテレビの部長の前で話しましたけど、部長は全然わからなかったです、『マカロニほうれん荘』というものが。

――「これは何がおもしろいんだ」と。

辻 ええ。だからあのときのお茶汲みの女の子、あんまりかわいい子じゃなかったような気がするけど、「おもしろいですよこれ！」って言ってサーッと行っちゃったら、二の句が継げない感じで。だから通ったと思ったんですけど、うまくいかないですよね。楳図かずおさんの『おろち[註48]』も流れちゃったんですけど、『おろち』は声優をあの頃のピーター[註49]でやりたかったんですね。当時は彼がまだ六本木のクラブにいた頃で。

――つまり、松本俊夫監督[註50]の『薔薇の葬列』に主演した頃のピーターですか！

辻 そうです。あれを言い出したのは現代子供センターの斎藤次郎[註51]さんですね。「絶対あれはウケるから」って。彼をずっと、主人公のおろちとしてモノローグにさせといて、そしたらアニメのほうはあまり動かなくて済む、と。とにかく安く作るための企画で、安くなければアニメの企画は通らないと思ってましたし、事実そうでしたからね。

――本気で観たかった作品ばかりじゃないですか。あの頃のピーターも最高ですよ！

辻　残念だったのは、そのあと六本木のクラブに行ったらちょうどピーターが辞めちゃってたんで、だから会ってないんです。そういう企画がいっぱいありましたね。

【註】

1／日本冒険小説協会大賞、日本推理作家協会賞、吉川英治文学新人賞、大藪春彦賞受賞作家　2／株式会社立大学　3／作家。電撃小説大賞メディアワークス文庫賞よりデビュー　4／1996年没　5／俳優、コメディアン。『ひょっこりひょうたん島』ドン・ガバチョ役　6／戦前に挿画・漫画で活躍、ニット帽の愛称である正ちゃん帽はいまだ使われている　7／作家。1982年『魔界都市〈新宿〉』でデビュー　8／最初のアニメ化は1965年　9／『W3』連載誌変更事件の引き金　10／富良野に移住してから43年になる　11／12作目の大河ドラマ　12／東映動画プロデューサーであり、『テレビランド』初代編集長　13／東映テレビ事業部が制作を創映社に委託（東映動画作品ではない）14／安彦良和、初キャラクターデザイン作品　15／およべやすお。アニメ演出家　16／監督、演出家。人形劇団ひとみ座出身　17／女優、歌手。『七人の侍』などに出演　18／横山光輝の古典原作ではない中国物は希少　19／漫画家　20／女優。「ボンカレー」ホーロー看板　21／ニャロメ、べし、ケムンパス　22／宮崎康平、作詞・作曲　23／元祖三人娘（ほかは美空ひばり・江利チエミ）24／原作・吉川英治。NHKテレビでは人形劇として放送　25／オリジナル『君の名は』の作者、「。」はない　26／「ごはんですよ！」の人　27／女優。横溝映画でも有名　28／演出家。『日曜娯楽版』『11PM』『ゲバゲバ90分！』　29／初監督作品『わんぱく王子の大蛇退治』　30／和光プロ　31／EXITではない。代表作『銀河鉄道999』など多数　32／別名・峠あかね　33／アニメラマ3部作『千夜一夜物語』『クレオパトラ』『哀しみのベラドンナ』を手掛ける　34／日本漫画家協会理事長　35／日本SF第一世代　36／「時間よ止まれ」のセリフで有名　37／問題作を多産していたジョージ秋山の巨大ロボット漫画　38／第9回講談社児童まんが賞受賞　39／原作者は佐々木守、『ドカベン　プロ野球篇』以降の藤村甲子園のキャラの権利はどうなっているのでしょう　40／当時のNHK会長は野村秀雄　41／残酷時代劇ブームの火付け役　42／俳優。別名・成田純一郎　43／映画評論家　44／評論家、画家。『大人は判ってくれない』ポスターで知られる　45／楳図かずおの傑作　46／2019年10月24日午前7時45分、膵臓がんのため死去　47／当時の「少年チャンピオン」は素晴らしい　48／オムニバス　49／本名・池畑慎之介　50／最後の劇場長編は『ドグラ・マグラ』　51／教育&漫画評論家

CHAPTER6

安彦 良和

やすひこ・よしかず

安彦良和

1947年生まれ、北海道出身。1970年、弘前大学を除籍されて上京、虫プロダクションに入社。1973年虫プロ倒産後はフリーとして、虫プロを離脱した西崎義展が設立したオフィス・アカデミーで『宇宙戦艦ヤマト』の絵コンテ、虫プロの営業・制作畑の人間たちが立ち上げた創映社では『勇者ライディーン』などに関わる。創映社が東北新社の資本から離れ、日本サンライズと社名変更してからも、『無敵超人ザンボット3』『機動戦士ガンダム』などのキャラクターデザイン、作画を担当する。『クラッシャージョウ』や『ダーティペア』などの小説（ともに高千穂遙・著）などのイラストを経て、1979年「リュウ」（徳間書店）にてはじめての漫画連載『アリオン』をスタート。劇場アニメ『クラッシャージョウ』、TVシリーズ『巨神ゴーグ』で監督をつとめた後、『アリオン』の劇場アニメを自ら監督（1986）。1989年『ヴイナス戦記』監督以降は、アニメから離れる。漫画家として『ナムジ』で日本漫画家協会賞優秀賞、『王道の狗』で文化庁メディア芸術祭マンガ部門優秀賞受賞。2001年より『機動戦士ガンダム THE ORIGIN』を執筆（2011年完結）。2015年に『機動戦士ガンダム THE ORIGIN』の総監督として、約25年ぶりにアニメーションに携わる。

西崎義展という人

安彦　（突然）俺、いままでのゲストの方々のようなおもしろいネタはないですよ。

――え！　そうなんですか？

安彦　ないですよ、そこはすみません。……吉田さんはどのくらいの世代ですか？

――ボクは45歳で、小学生のとき安彦さんの最初の小説『シアトル喧嘩エレジー』（80年／徳間書店）を買った世代ですね。

安彦　そうですか。俺の10年下の人たちがオタク第一世代っていわれてたんですけど、もう還暦近くなってるんですよね。

――オタクといえば、富野由悠季さんも安彦さんも「アニメは大人になったら卒業するべきだ」みたいな考え方の人ですよね。アニメを作る側がそう思っていたのって、アニメの仕事をやってて申し訳ないって気持ちが常にあったってことなんですか？

安彦　王道を歩んでない自覚があったからじゃないですか？　彼（富野）も、心ならずもアニメをやっているっていうタイプですよね。だから宮崎（駿）さんとか高畑（勲）さんとかだったら、そんなこと言わないと思うんですよ。そこが違う。

――安彦さんにも当然そういう……。

安彦　ええ、「恥ずかしながらこんなことをやってる」って意識が常にあったから。

——それってなくなるものなんですか？

安彦　いまは……開き直ってるね。人に誇れるとは思ってないけども、「恥ずかしながら」っていつまでもイジケていてもしょうがないから。単なる開き直りですよね。よく言うのは『宇宙戦艦ヤマト』のとき、西崎（義展）とかああいういい大人が大金を動かしてトチ狂ってるのを見て、これも大人の仕事なんだと思った。

——西崎さんとは、安彦さんが虫プロにいた時代から接点ってあったんですか？

安彦　ないない、噂は聞いてたけど。

——変わった人が来たぞ、ぐらいの。

安彦　変わったというか困ったというか恐ろしいというか、ろくでもない人が来た。簡単に言うとヤクザが入ってきたという。

——ダハハハハ！　なるほど（笑）。

安彦　そういう聞こえ方ですよ。金を持ったヤクザが来て乗っ取られたというね。

——西崎さんが虫プロを乗っ取って。

安彦　それがすごくよくわかったのが、彼の愛用のアメ車でね。リンカーンかシボレーか知らないけど、こんな長い車が、どうやったのか富士見台の虫プロの駐車場に入ってきてね。狭い駐車場の対角線にシボレーが無理矢理入ってて、どうやってここまで入ってきたのかなって。『ヤマト』のときは、その車で大泉の松本（零士）邸に行ってるんですよね。でも、大泉も道が狭いから松本邸まで行けなくて、しょうがないから途中で停めて、大汗かいて歩いて（笑）。

――最初に会った西崎さんはどうでした？

安彦　テレビのときは全然距離があったんだけど。あの頃は山本暎一さんを非常に信頼してて、途中から「暎一の言うとおりにやれ、俺の代わりに暎一がチェックするから」って。暎一さんにはいろいろ教えてもらったね。大先輩なんだよ、虫プロのエースみたいな人だったから。そのほうが恐れ入ったね、西崎より山本暎一が俺に教えてくれるっていうことに。まあ、あとで暎一さんに幻滅したんだけど（あっさりと）。

――え！　何があったんですか？

安彦　劇場版以降の『ヤマト』ですね。節操のない人だった。書いてもいいですよ。

――うわー！　それは山本暎一さんが西崎さんに言われるがままだったとかですか？

安彦　暎一さんは……なんか人間的にダメな人だったね。それを見て、この人ダメだと思って。西崎は好きですよ、いまだに。

――いまだに！

安彦　問題は大ありだけどね、一緒に仕事しろって言われたら嫌だって言うけど。実際に言われて「嫌だ」って断ってるから、ずっとあとの『ヤマト』のシリーズで。

――それもすごいですよね、あれだけいろんなことがあった人を嫌いじゃないって。

安彦　ええ、おもしろいですよ、あの人。

――おもしろいのはわかりますけど、確実に近付いたらいけない人じゃないですか。

安彦　ええ、近付いたらいろいろ災いが降りかかる（あっさりと）。難しいですね。

――酷い目にも遭ってるわけですよね。

安彦　遭ってますよ。付き合った人はたいがい酷い目に遭ってる。一番いけないのは、金持ってるのに金払いが悪いんですよ。

――自分のことでは豪快に使ってるのに。

安彦　ええ、払うべきものを払わない。虫プロの倒産のときも、直接じゃないけど不払いで非常に困ったからね。その日暮らしなのに、お金が入らないっていうのは。

――でも、嫌いではない。

安彦　そう。やっぱり西崎は興味深いキャラクターですよ。あとで松本零士さんと訴訟沙汰になって、あのときにたいがいの人は西崎の肩を持ったんです。松本さんじゃなくてね。僕は中立だよって言ったんだけど。弁護士がウチに来たときも、「松本さんが私のものだって言ってたのは違う、おふたりのものだ」って言いましたから。結局、松本さんが敗訴してるんですよね。当然ですよ。松本さんから僕のところに電話がきて、「みんな西崎についちゃった」って。あの人もまた変な人でね。「みんな薬でやられたんだ」って言うんですよ。

――うわー！　さすがですね（笑）。

安彦　電話で俺に言うんですよ、「石黒（昇）[註1]も何もみんな薬でやられた」って。「ああ、そうですか」って。まあ、そんな雰囲気はありましたけどね。「いい薬あるよ舛田（利雄）さん」とか西崎が言ってくるわけ。

──絶対によくない薬ですよね（笑）。

安彦　「眠くならないよ」とか言って。

──ダハハハハ！　まあ、アニメの制作現場の人間には便利でしょうけどね（笑）。

安彦　ろくなもんじゃないですよ。だからホントにそういうのでやられたのもいたかもしれないけど、松本さんにしてみたら自分の味方にならんヤツはみんな薬のせい。「俺はやってませんよ」って言ったけど。

僕は中立派だったから

──世間から見ると、松本零士先生がちゃんとした人で、西崎さんが頭のおかしい人みたいな感じになってるじゃないですか。

安彦　そういうふうに言われるんだけど。

──取材してわかったのは、松本先生もいい意味でおかしな人なんですよね（笑）。

安彦　おかしいですよ。だからお互いそう思ったのか、途中から西崎は松本嫌いになってね。映画とかなんかも「どうやって松本を外そうか」みたいなこと言うから、そのときは逆に「松本さんの味がないと『ヤマト』はダメです」って俺が言ったの。

――『ヤマト』はふたりのものだから。

安彦　そう、ふたりのもの。でも、映画の『さらば宇宙戦艦ヤマト』のときには違ってきちゃってね。西崎も「おまえは松本派か！」って俺のこと言うのね。「いや、派とかそういうんじゃなくて、絵は松本さんですよ」って言ったんだけど、「どこがいいんだ、あの絵！」って言ってましたね。

――あくまでも中立派なわけですね。

安彦　だって客観的に見てそうですよ。松本キャラがなきゃ『ヤマト』はダメだし。

――お互いの異なった個性が入り混じったことで『ヤマト』が成功したわけですね。

安彦　そういう話をできるようになったのは映画版になって、個人的に呼び出されて「意見を言え」とか言われてから。西崎から呼び出されるんですよ。こっちは絵コンテ料しか入らなくて一銭にもならないのに延々と会議に引っ張り出されて。それで、その絵コンテ料をしぶしぶ払うんだよね。

――最悪じゃないですか！

安彦　そんな人です（あっさりと）。

――本人は、すごい外車に乗って愛人を連れてクルーザーに乗ってって感じなのに。

安彦　こないだ、そのときの側近だった山田（哲久）君っていうのが共著で西崎のことを書いて、あれおもしろい本ですよね。

――『「宇宙戦艦ヤマト」をつくった男　西崎義展の狂気』（講談社）、ボクも読みましたけど無茶苦茶おもしろかったです。

安彦　あんまり期待しないで読んだけど、知らない話もいっぱいあっておもしろかった。そんな悪さもしてたんだなと思って。

――ダハハハハ！　『ヤマト』に至るまでにも悪事がいっぱいありましたからね。

安彦　ええ、悪事もあるし、石原慎太郎なんかと尖閣諸島に上陸するなんて話もあって。なんで機関銃とか持ってたんだっていうのも、そういうことだったのかって。やっぱりああいう高いクルーザーなんか乗ってると海賊に狙われるもんね。だから船に機関銃を積んでおくぶんにはいいかっていう。それを陸揚げしちゃったから事件になって（笑）。そういうのも初めて知った。

――勝新太郎さんとの交流も初めて知りましたね。薬つながりでしょうけど（笑）。

安彦　知らなかったよね。そんなスケールの人間はアニメの業界にいなかったんで。この人の交友範囲はただならぬものがあるっていうのはわかった。それまではやっぱり、いい大人のやってることじゃねえなっていうのがあったから。やっぱり子供騙しで、でも食うためにはしょうがないっていう。

――それが『ヤマト』からファン層も変わってアニメファンが増えたわけですよね。

安彦　だから『ガンダム』のときには違うターゲットを狙えばいいんで、視聴率なんか気にすることないいんだっていうのがあらかじめわかっていた。「数字低いよ」なんて言われても、「いいんじゃない、それで」って感じで全然動揺しなかったです。

――『ヤマト』は低視聴率で打ち切られたけれども、大ブームになったわけだし。

安彦　ええ、だから打ち切り大歓迎って感じで。そっちのほうが早く解放されるし。

――ダハハハハ！　じゃあ、『ガンダム』が全52話の予定が全43話に短縮されて打ち切られても動揺はなかったんですかね。

安彦　なかったですね。むしろよかったと思って。そこはちょっと富野氏と違うところだね。彼は悔しかったと思う。全43話になんとかたどり着けるかなと思ったら、結局僕はたどり着けなかったんだけど……。

――途中で倒れちゃって。それって、よっぽど働いてたってことなんですか？

安彦　積もり積もったものですよ。まず第一に、『ヤマト』の続編で尻尾が切れないいんですよね（『宇宙戦艦ヤマト2』[註2]の最終回が79年4月7日で、『機動戦士ガンダム』の放送開始も79年4月7日だった）。金払いが悪いっていうのと、もうひとつ西崎氏のいけないことは、執念深いんですよ。思い切りが悪い。その粘り腰が彼のプロデュースのひとつの本領かもしれないけど、冗談じゃないよっていうぐらい。だって「あんたなんか大嫌いだ」って言ったら、たいがい相手は「ああ、そうかい」って切るじゃないですか。切らないですから。

――そんなことは気にしない（笑）。

安彦　ええ。「もうごめんだ、大嫌いだ」って言っても、「とにかく出て来い」。出て行ったらそれまでだから行かないけど。で、7月ぐらいに電話で大ゲンカをしてやっと切れたんですよ。「来い」って言うから「行かない、電話で十分」って。それでやっとあきらめて。だって4月から『ガンダム』も始まってるしね、それで10月に病気をして、小手指にいまも世話になってる個人病院があるんだけど、そこに入院してたら西崎がハーレーで来たんですよ。

――ハーレーで！

安彦　ええ、ハーレー2台でドドドドドーッと。病院の人みんなビックリして。そしたら「どうだ、俺の言うこときかないからこういうことになったんだ」って言うの。

――ダハハハハ！　絶対に違いますよ！

安彦　「違う、あんたが早く解放してくれないからだ」って。それで西崎が札束を置いてったんですよ。「いらない」って言ったら「いいから使え！」って。だから払うべきときに払わないのに、いらないっていうときに札束を置いていく人間なんです。

――ダンディズムなんでしょうね、誰か倒れたとき大金を渡す俺カッコいい、的な。

安彦　カッコいいっていうか、これで人を操れるという哲学なんでしょうね。ベッドに何か突っ込んで帰っちゃうわけ。見たら分厚い封筒があったから、いくら入ってるか見ないで、カミさんに「これ返してきてくれ」って言って。カミさんは、まだ小さい子供の手を引いて九段の事務所まで行って、お金を置いて逃げてきたって。

——分厚い封筒の中身を確認しなかったのは、見たら心が動きそうだからですか？

安彦　80万ぐらい入ってたらしいですね。かなり厚みはあった。でも、こんなもん開けたって手が汚れるだけだと思って。もらうべきものはもらうけど、なんで80万も見舞いもらわなきゃいけないんだって。

——その意志の強さはすごいですよね。だってお金は欲しい時期じゃないんですか？

安彦　めちゃくちゃ欲しいですよ！　でも、それはもらえない。絶対ダメだから。

——たしかに、そこでもらっちゃったらたぶんその後も呼び出され続けますよね。

安彦　こっちは病人で、押し問答したって負けちゃうからね。そういう人で、とにかく印象深いですよ。そんな人は業界にはほかにいなかったし。

潮目はある日突然に

安彦　あと印象深いっていったら、それこそ徳間の康快[註3]（徳間書店創業社長）さんとか尾形（英夫[註4]・初代アニメージュ編集長）さんとか。尾形さんなんかもある意味困った人だけど、あの人はやっぱり得難い人だったかな。お祭り男で、とにかく派手に盛り上げるのが好きで。気仙沼の田舎のおっちゃんで品性が悪くてね。喫茶店なんか入っても、「この人、知り合いじゃありませんから」って言い訳したくなるようなタイプだった。だって「ネエちゃん、味噌汁ねえか？」とか言うの、喫茶店で。

――徳間っぽい感じではあるけど（笑）。

安彦　うん。あの頃の徳間っていうのは、（鈴木）敏夫さんなんかも含めて、なんかそういう異様な集団がいたんですよ。

――『アサヒ芸能』臭というか、明らかに『アニメージュ』の会社じゃないですね。

安彦　ええ。一見怪しい『アサ芸』の色で、あれも一種の梁山泊でした。俺はそんなにベッタリしてないからわからないけど。

編集[註5]　さすがに昼から酒は飲んでなかったですけど、出張校正とか行ったら「花札やろうぜ！」って感じでしたね。

カメラマン　いや、酒も飲んでたよ！

――完全に『アサヒ芸能』ですね（笑）。

安彦　親分が親分だからね。徳間康快さんもある意味怪しい、西崎的な人じゃないですか。伝説とか黒い部分もたくさんあって。僕はその『アニメージュ』にある時期パージって言葉はよくないけど、嫌われたんですよ。それで、ここまでだなと思った。

――最近、大塚英志[註6]**さんが徳間書店をテーマにした本、『二階の住人とその時代』（星海社）を出しましたけど、そこにも書いてありましたね。ある時期、『アニメージュ』が『ガンダム』**

的な流れから変わって。

安彦　要するに、宮崎さんのほうへシフトしたときに……でも『ガンダム』はまだ市場価値があったから、『ガンダム』というブランドに背を向けてるとまでは言えないと思うんだよね。ハッキリ言って僕ぐらいじゃないかと思うけど、用なし人間になった。

――何か決定的なことがあったんですか？

安彦　いや、何もないね。いつからウチに来なくなったかって具体的に言えるぐらいクッキリ来なくなった。それで、『アニメージュ』に相手にされなくなったら終わりかなと思った。そのあと『ニュータイプ』[註7]っていう雑誌ができるんだけど、あそこは最初から独自ブランド志向だしね。そうなると、あとはメディアがないんです。だから当然終わりだなっていう、それが84年ぐらいかな？　時期的にいうと『風の谷のナウシカ』の年です。あとはいつ辞めようかということで。

――その頃、監督作品として『巨神ゴーグ』[註8]を作ったけども手応えが感じられなかったのが大きかったって言われてますよね。

安彦　ええ、そのとき『ゴーグ』の放映がスポンサーの都合で半年延期になって、その延期になってるあいだに潮目が変わったっていうのは感じましたね。よく潮目が変わるって言い方しますけど、あれはホントに変わるんですよ。不思議なくらい変わる。誰それがあっち向いたとか、ウチに来なくなったとかもそうだけど、めっきり手応えを感じなくなるんですね。いいときでも悪いときでも理由っていうのは考えりゃいくらでもあるんですよね。話がちょっとなとか、絵が悪かったなとかね。ただそれを言ったら『ガンダム』だって『ヤマト』だってひでえもんだから（あっさりと）。

――ダハハハハ！　そうでしたね（笑）。

安彦　『ヤマト』でも、お蔵入りにしたほうがいいな、みたいな話もいっぱいあるし。『ガンダム』なんてひどいもんだし。

――よかった回のいい思い出だけで引っ張られてますけど、現実は違いますからね。

安彦　ええ、いいとこだけ「あれがいい、これがいい」って言って、悪いところは適当に目をつぶってくれる。それが潮目がいったん変わると、悪いほうばっかり言われて、「いいところもあるんだよ」って言っても誰もこっち見てくれなくなる（笑）。そうなったらもう終わりなんですよね。

――その時期に潮目が変わって、『風の谷のナウシカ』とか『うる星やつら2　ビューティフル・ドリーマー』[註9]に流れたわけですかね？

安彦　うん、『ビューティフル・ドリーマー』もそうだし。典型的なのは『ナウシカ』と『超時空要塞マクロス』[註10]でしょ。だから、いいものを観たいっていう人は『ナウシカ』のほうへ行って、オタクは『マクロス』行って。で、こないだまでオタクだった連中が自分たちの好きなものを作り出したのが『マクロス』で、そうすると、こっちはもともと正統派じゃないから、よい子のアニメも作れないし、そんな意欲もないし、オタクじゃないからオタクアニメにも付き合ってらんない。そうすると居場所がないっていうのがハッキリするのね。頃合いを見て辞めようってなる。あんまりみじめに辞めたくないから、ある程度カッコつけて辞めようと思ったんだけど、結局カッコつかないまま辞めちゃいましたね。

——漫画のほうがまだ自分でコントロールできるからっていう感じだったんですか？

安彦 うん、自分がそこそこ食えりゃいいわけで。こういうところ（自宅）で描いてて、スタジオもないし、アシスタントもいないから。そうすると、そこそこ原稿料が入れば、アニメのギャラに比べれば全然いい。うまくすりゃ印税も入るっていう。

アニメの転換期のなかで

——素朴な疑問で、『ヤマト』と『ガンダム』という日本を代表する二大ヒット作に関わってきた人なのに、金銭的な部分ではそんなに報われない感じなんですか？

安彦 あれは要するに権利関係一切ないから、単純にギャラだけなので。コンテ切ればコンテ料で、作画やれば作画料ワンカットいくらで。アニメのギャラっていうのは総額の予算があるから、相手によってたくさん払おうなんてことはできないしね。この家を建てたのは83年ですけど、それは前にちっこい家を無理して建てたのが売れて、それと最初に画集を出したんですね。

——『安彦良和画集』（81年／講談社）ですよね。リアルタイムで読んでました。

安彦　その画集が当時で15～16万部ぐらい売れて、そうすると初めて印税っていうのが入る。それが当時は巨額だったんですよ。「え、こんなにもらえるの？」って（笑）。それでローンを組めて、この家を建てたんですよ。『アリオン』[註11]なんて漫画もすごく売れて、印税っていうのはすごいんだなと思った。

——なるほど。それだったら、困ったときは漫画っていう発想になりそうですよね。

安彦　漫画なら食えるっていう。ただ漫画家になったときに、漫画界の編集者とか知り合いがいないんですよね。徳間には行きたくないし、向こうも僕が行ったって挨拶もしてくれない。「誰だ？」って感じで。まあ、人も替わってるんだろうけど。あとは個人的に知ってる編集者、2～3人から細々と描きたいものを描かせてもらって。それでも生活的には落ちてないんですよ。

——漫画は儲からないと言われるけど。

安彦　アニメのギャラに比べりゃ……。

——そういうことなんですね（笑）。ちなみに、富野さんは変わり者ってよく言われますけど、安彦さんから見てどうですか？

安彦　いや、もちろん変わり者でしょ。ただ、俺はあの人のことをそんなにややこしい人だとは思わないんだよね。「アニメ界で作家といえる人は富野由悠季しか知らない」って言い方を僕はしたことがあって。演出家はいっぱいいいたし見てきたけど、作家っていうのは富野しかいなかったから。

――作品に作家性を必ず入れようとした。

安彦 ええ。たぶん彼は実写をやりたかった人だと思うんで、それが心ならずもこの業界にいる以上、作家性を求めずして何を求めるんだっていう哲学があったんじゃないですか？　だからよく勉強してるし、情報に対して貪欲だし。ただ、神懸るほど何かすごい才能を持った人かっていうと、神じゃねえだろって気はするけどね（笑）。周りが神にしちゃった部分があるので。それに彼自身が乗っかっちゃったとか利用した部分はあるだろうし、逆に乗せられちゃった部分もあるだろうしね。彼の幸運と不運みたいなものがそこにあるんじゃない？

――共同作業はやりやすかったんですか？

安彦 やりやすかったですよ。特に、いわゆる『ファーストガンダム』のときは考えてることだいたいわかるっていう。ある意味、同志だと思ってたしね。それが続編になるといろんな理由があったんだろうけど、ちょっと違うほうに行かれて、ちょっと追い切れないなっていう感じになって。

――『Z』[註12]や『F91』[註13]になってくると。

安彦 うん。『Z』の頃、「もう来るな、来るときはアポ取ってから来い」ってシャットアウト

郵 便 は が き

料金受取人払郵便

麹町局承認

1763

差出有効期間
2022年1月31日
まで

切手はいりません

102-8790

209

（受取人）
東京都千代田区
九段南 1-6-17

毎日新聞出版

営業本部　営業部行

ふりがな	
お名前	
郵便番号	
ご住所	
電話番号	（　　　　）
メールアドレス	

ご購入いただきありがとうございます。

必要事項をご記入のうえ、ご投函ください。皆様からお預かりした個人情報は、小社の今後の出版活動の参考にさせていただきます。それ以外の目的で利用することはありません。

されて。そういう人じゃなかったんだけど。メディアが悪いんですよ、お神輿を担いだ。『アニメージュ』は宮崎さんを担いで成功したわけだけど。『アニメージュ』というか鈴木敏夫氏がね。たとえば『OUT』[註14]なんかは富野氏を一番担いだと思うんだけど、担いだんだったら最後まで責任取れよって。だから俺、大徳（哲雄）[註15]とかいう人、いまだに嫌いなんですよ。

――うわー！

安彦　どっかに生きてるらしいけどね。ほとんど話したことないですけど。大徳とか『アニメック』の小牧（雅伸）[註16]とか。小牧って僕、1回も取材受けたことないです。

――え？　『アニメック』って『ガンダム』にはかなり深く関わってましたよね。

安彦　仕掛け人のひとりで、しょっちゅうサンライズにも来ていたんですよ。僕が作画してたら後ろに来て、「富野さん富野さん！」って言ってたけど、俺とは一度も口きいたことないです。ずっとあとになって何かの取材に小牧がついて来たんですよ。そこで「小牧さん、俺あなたと話すの初めてだね。俺にひと言も話しかけなかったよ」って言ったら、「え、そうですか？いつもお忙しそうだったから」って言うから、「みんな忙しかったよ！　暇なヤツなんていなかったよ、あの頃は」って（笑）。

――なんでそうなったんですかね？

安彦　どっか煙たかったんじゃないですか、『OUT』の連中にしても。で、勝手に担いでおかしくしちゃったんだから。あとは自分でなんとかしろよって感じだった。

――とにかく安彦さんは当時のアニメ雑誌に対して複雑な気持ちがあるわけですね。

安彦　あるねえ。ハッキリ言えることは、大徳、小牧にしても鈴木敏夫にしても井上伸一郎[註17]（元ニュータイプ編集長）にしてもそうだけど、連中は頭よかったですよ。さすがにトレンドウォッチャーっていうかね。業界の人間っていうのは基本的に僕も含めてバカですから、あのへんの頭のいいメディアの仕掛け人たちは、こいつらなら好きなように御せるとでも思ったんじゃないですかね。宮崎さんたちはエリートだから、またちょっと別だけど。

――頭のいい人たちが世間知らずのアニメの世界の人たちを丸め込んじゃった、と。

安彦　ええ。それでひとつの世界をたしかに作っていったんですけど、犠牲者もいるわけで。だから僕はさっさと、向こうがお呼びじゃねえならこっちもお呼びじゃねえよって違う世界に行っちゃったんですよ。

作品を作るということ

――違う世界に行った人が、『機動戦士ガンダム THE ORIGIN』の総監督としてまたアニメの世界に戻って来るっていうのは、どういう心境だったんですか？

安彦　これはやっぱり『ファーストガンダム』をほっとけないからですよ。あんなに出来が悪いんで、今どうされたって文句言えないわけですよね。「ひどいでしょ、僕がリメイクしてあげます」ってヤツが必ずどっかから出てくると思ったんですけど、どんなふうにいじられるかわかったもんじゃない。だから最初は、漫画でリライトする物好きなヤツは他にいないだろうってことで。

――あれは最高におもしろかったです！

安彦　最初は「俺が描かなくてもあるじゃん」って思ったけど、見るとやっぱり遠慮しながら描いてるんだよね、当事者じゃないから。やっぱり関係ない人は遠慮するんだ、俺は遠慮しねえぞと思ってね。だってこっちは当事者で裏話も知ってるし、富野由悠季がどうだったかも知ってる。あそこはこういう理由でいい加減なんだとか、こっちはわかるんで。いい加減なところを俺がリライトする権利はあるんだって念押しをサンライズにして、それで終わったと思ったんだけど、それをアニメ化する段階でまた変わるんですよ。「基本的に原作どおりやって」って言っても変わるんです。そういう微妙なものなんで、やっぱり自分でやろうという。でも、ほかは一切やらないですよ、アニメはもう足洗ったんだから。

――いろいろ懲りたから（笑）。

安彦　懲りた（キッパリ）。

――さっき富野さん側からシャットアウトされた話をしてましたけど、アニメ誌にも拒まれて、安彦さんの場合、全部そうなんですかね。揉めたとかではないっていう。

安彦　揉めるのはいいんですよ、揉めるのは基本的に好きなんで（あっさりと）。

――好きなんですか！

安彦　うん。結構揉めるほうですよ。暴力沙汰はやらないし人を殴ったことはないけど、昔から基本的にケンカ上等というか。

――どんなふうにやらかすんですか？

安彦　要するに理屈のうえでのバトルですけどね。だから『ヤマト』の話になっちゃうけど、『さらば』で「ラストシーンでみんな死ぬ話にしたいんだ」って西崎は会議の都度言っていたのに、そしたらそのテレビ版である『ヤマト2』は生き返った話に変えろって言うんですね。そのとき一番逆らったのは僕ですから。「死んだんじゃないんですか？　あんなに言って、みんな殺しちゃったのに」って。で、さっき山本暎一が尊敬できないって言ったけど、そのとき山本暎一もいて、彼は「お話なんだからどうにでもできるんだよ」って言ったんです。

――あぁ……。

安彦　まあ、いろいろあったけどそれでひとつ幻滅しましたね。この人にとって話ってそういうもんなんだ、そういう人なのかって思って。迂闊なこと言っちゃいけないですね、一発で尊敬を失うから。でね、俺はネットなんか見ないんだけど、なんか調べようと思って検索していたらちょっとしたところに迷い込んで、「安彦は嘘を言っている。『ヤマト2』で急きょ生き返らせたということを安彦は言ってるけど、テレビシリーズは最初から決まってたんだ」っていうのが目について、何もわかってねえヤツが何を言ってやがるんだ、と思って。

——嘘はついてないですよね。

安彦　テレビシリーズをやることは当然決まってたんですよ。でも、そこで生き返らせるなんてことは決まっちゃいないんです。要するにその前の『ヤマト』はテレビシリーズを再編して映画にして当たった。じゃあ今度はまず映画を作って当てて、それをテレビシリーズにしてまた儲けようっていう段取りが決まってたの。そのテレビシリーズで、映画で最後に死んだのを話を変えて、やっぱり生きてたことにしようなんてことは、最初から決まってるわけないんだから。

——つまり、もう一回特攻で死ぬまでの話をやろう、みたいなことだったんですね。

安彦　ええ。そのときに指名されてシリーズ構成やったのが僕なんですよ。だから生き返らせたのは僕の仕事ではあるんですよね。「どうやったら死なないでラストにいくか、おまえが考えろ」って西崎に言われて。俺が生き返らせるのには一番抵抗したのに。

——その尻拭いをさせられて（笑）。

安彦　で、藤川（桂介[註18]）さんと山本英明[註19]さんと僕を飯田橋の料亭かなんか取って缶詰になるんですね。そういう金の使い方はするんですよ。料亭に缶詰にして、「結論を出せ！　おまえら考えろ！」って。ホント何を言ってるんだろうって。

——勝手に殺しといて（笑）。

安彦　殺しといて。それはクレジットに出ないんですよね、「シリーズ構成／安彦」って何調べたって出てないんですよ。だからそのときはプロデューサーに、「俺は貴重な時間をかけてやってるのに、なんでタイトルに出さないんだ、出してよ」って言ったことあるんだけどね、結局最後まで出さなかった。そんなことも含めて『ヤマト』ではずいぶん時間を取られたんですね。

――でも西崎さんは嫌いじゃない（笑）。

安彦　うん、嫌いじゃない。人間的なんですよ、心変わりも非常によくわかるしね。殺してはみたけど、儲かっちゃったし、やっぱり愛情が尽きないっていう（笑）。

――まだまだ稼げるし。

安彦　ええ、稼げるし、やっぱり好きだし。デスラーとか大好きだし、みたいな。

――デスラーみたいな人でしたよね。

安彦　ええ、「デスラーは俺の分身だ」みたいになっちゃうわけで。そういうわかりやすさね。だから富野由悠季はある意味ちょっと似てるんじゃないですかね、そういう子供っぽさは。それが彼の作家であるゆえんでもあると思うんですけどね。みんな常識人ですから、世間の演出家なんて。

手塚治虫と宮崎駿

編集　西崎さんにしろ富野さんにしろ、安彦さんはかわいげのある人が好きなんですよね。

安彦　ああ、かわいげのない人は嫌だね。

――手塚治虫先生も変わり者って言われますけど、かわいげの人じゃないですか。

安彦　一度お話しただけなんだけど、たぶんそういうタイプじゃないですかね。すっかり神になっちゃって、手塚神話をいろいろ聞くけど、「でもホントはね」みたいな話がコロコロ出てくる。「いや無邪気な方でね」とか「嫉妬深くて参ったよ」とか。「美形キャラ？　なんですかそれ？　私だって描けます！」とか言ってたっていうのを僕は人づてに聞いてるんだけど（笑）。

――それは『勇者ライディーン』だとか『超電磁ロボ　コン・バトラーV』だとかで、美形悪役キャラが騒がれてる頃に？

安彦　ええ。「最近、アニメで美形キャラっていうのが流行ってるそうですね」って聞いたら「なんですかそれは！　僕だって描けますよ！」って（笑）。そんな話は、僕が『アリオン』のときに対談やってくれたんだけど、ひと言も言わなかったですよ。『ライディーン』のラの字も出ないし、美形キャラのビの字も出ない。

――でも、意識はしてたわけですね。

安彦　あれだけ有名になれば、石ノ森章太郎さんに嫉妬したりとか、それも含めて本当の手塚神話になるんじゃないですかね。偉かった偉かっただけじゃなくて。だから逆に宮崎的な手塚批判[註20]も違うと思うんですよ。それ言っちゃダメですよって感じする。わりと最近言われてるんじゃないですか、「日本のアニメをダメにしたのは手塚治虫だ」的な。それはいくら宮崎さんの言葉とはいえ違いますよっていうのはあるよね。

——最初に手塚治虫が安くアニメを作っちゃったのが全部悪いんだ、みたいな。

安彦　うん、ちょっとそれっぽく聞こえるけどそうじゃないですよ。そこから、じゃあ安かろう悪かろうで、そのなかで何ができるかって試行錯誤が始まったわけで。だいたい当時のギャラってそんなに安くないです。僕が入る前、60年代のアニメ業界は結構いい金でみなさんやってたんですよ。その名残は虫プロが潰れるまであったし。

——虫プロは手塚先生のおかげなのか待遇も比較的ちゃんとしていたみたいですよね。

安彦　ええ、ちゃんと人並みの給料は払ってたし、残業代も払ってたし、みんないい車に乗ってたしね。虫プロが73年に潰れて、それから世の中的にも不景気になって、アニメーターに余分な金を払ってたらえらいことになるぜっていうんで、どんどんお金が細っていくんですよ。それについて手塚さんに直接の責任はないですよね。みんなして手塚さんのスネかじっていたんです。「会社に金ない。手塚さんのところにあるんじゃないの?」みたいな。それでみんな甘えてた。で、手塚さんも実際、どっかからお金出すしね。「ほら出たじゃないか」みたいなね。あの人も被害者ですよ。

――さんざんアニメにお金を遣って「おまえのせいだ」と言われたくないですよね。

安彦 ええ。だから、そのへんはだんだんハッキリしてくるんじゃないですかね。宮崎さんは天下の東映っていう正統派のプライドがあるから、虫プロって名のついたものはたぶんみんなお嫌いで、だから俺も嫌われてるんだけど（あっさりと）。

――え！　そうなんですか？

安彦 だって会ってもらえなかったですもん。『ガンダム』のとき、敏夫さんが「誰か会いたい人いない？」って聞くから、「宮崎さんに会いたい」って言って。僕は『アルプスの少女ハイジ』とか『未来少年コナン』とか好きだったから。そしたら「そんなヤツは知らん」って断られてね。

――うわー！

安彦 知らないわけないんだけど。

――当然そうですけど、どういう意識の仕方をしてるのかわからないですね（笑）。

安彦 そのときにまだ敏夫さんはウチに来てたから、「宮崎さんってすごいね、俺も尊敬してるよ」っていう話をしたら、「あの人、『アニメージュ』隅から隅まで読んでるんですよ」って（笑）。それで俺のこと知らないわけがない。で、高畑さんも会いたいって言ったら断られて。

――なんなんですかね、派閥意識？

安彦 汚らわしいんじゃないですかね。

――そんなに対立してましたっけ？

安彦　やっぱり格下なんですよ、怪しげな安上がりのものっていうのは本音だと思うんですけど。しかもそこでちょっと出てきて変に人気取ってるヤツはろくなもんじゃないっていうのがあったんじゃないですか？

――東映で長編アニメを地道に作ってた人からしたら認めたくない存在というか。

安彦　ええ。あんないい加減なもの作りやがってっていう。しかもロボットアニメでしょ。知るかそんなヤツってなったんでしょうね。そのあとの庵野秀明[註21]なんてとてもかわいがられてるから、そのあとは問題ないんじゃないかな。富野由悠季はまた一緒にコンテ切ったりしてるから、あれはあれでいいんですよ。僕はどうも嫌われてて。

――なんなんですかね、それ？

安彦　でも、嫌われてるってわかったら、こっちも好きになる義理はないからね。

アニメを観ない理由

――ちょっと興味あるのが、安彦さんにも手塚先生的な嫉妬心ってあるんですか？

安彦　人並みにありますよ。だから、僕は「嫉妬するな」と予想できるものは観ないんです。嫉妬するっていうことは落ち込むっていうことなんでね。落ち込んじゃうとテンションが下がって仕事できなくなっちゃうんで。

――手塚先生は嫉妬心がモチベーションにつながっていたけど、そうじゃなくて。

安彦　うん、だからヤバそうだなって思いながら観て、「なんだこりゃ！」とか「チクショー、うまいな」とか、そういう気持ちにいっちゃっても、それに耐えるわけでしょ。それは偉いなと思うんですけど、僕はあらかじめ避けちゃう。だから食わず嫌いが結構多いですよ。『新世紀エヴァンゲリオン』なんか観なかったですからね。

――嫌な予感がしたんですね。

安彦　ええ、嫌な予感が（笑）。観たらマズいなっていう。『王立宇宙軍　オネアミスの翼』[註22]を偶然観ちゃったんですよ、ふと無警戒で。そしたら落ち込んで、えらいもん観ちゃったって。これは二重の意味で落ち込んだんですよ、あまりにも内容がない。

――ないですね、まったく（笑）。

安彦　なんでこんな内容のないものがいいんだっていう怒りがひとつと、なんでこんな内容のないものにこんなに才能を注ぎ込むんだ、なんでここまでやるんだ、こんなすごい絵を作るんだってことで二重に打ちひしがれてね。悪いものを観たなと。あれはだいたいアニメを辞める頃だったと思うんですね、80年代終わり頃。ああいういくつかの、あと大友（克洋[註23]）のアニメとか。

――『AKIRA』ですね。

安彦　ええ。その前の『ロボットカーニバル』[註24]とか、ああいうものが出てきたら、もう辞めたほうがいい。自分の仕事で死人が出ようが会社潰れようが関係ねえや、みたいな感じでしょ、彼なんか。デジタルもまだやってないときに、ワンカット1本みたいな長回しとか作って。それで会社が潰れるなんてふつうにある話じゃないですか。そういうことを、大友じゃないけど公言した若手の演出家がいたんですよね。「まともな作家だったら会社のふたつ3つ潰すぐらいじゃなきゃ」って言った若手の演出家がいて、なんてこと言うんだと思って。こんな作りもの、会社潰してまでやるようなもんじゃねえよっていうのが僕の考えだったから。いろんな人を不幸にしちゃうじゃない。あんたの作るものってそんな大層なもんかい？　みたいな。でもそういう世代が出てきて、『オネアミス』もそうだけど、とんでもないもの作り出して、こいつらとやっても勝てないなっていう。観て嫉妬しているよりは降りたほうがいいですよね。

――いまもアニメは観ないままですか？

安彦　アニメを辞めてから、意識的にアニメを観ない時期が10年以上あったけど、だんだん深夜時間にアニメをやるようになってきて、寝酒でも飲んで寝ようと思ってテレビ点けると、いきなりアニメが始まったりする。パニックになるんですよ（笑）。

――「観たくないのに！」って（笑）。

安彦　「消さなきゃ！」「リモコンどこだ！」って。で、「えらいものを観てしまった、いまのはなんだったんだ。なんでこんな時間にアニメをやってるんだ」と。

――安彦さん、おもしろいネタはないって、ちゃんとおもしろいじゃないですか！

安彦　いや、おもしろくないですよ！

【註】

1／アニメーション監督、演出家。設立したアートランドでは多くの若手を育てた　2／テレビ版としては2作目となるが、2本目の劇場映画『さらば宇宙戦艦ヤマト 愛の戦士たち』公開後の放送　3／政界、財界、芸能界、裏社会にも精通していた　4／バイタリティの人　5／掲載誌の担当編集も同席　6／みなもと太郎のアシスタントから編集者に。現在は作家　7／創刊号表紙は『機動戦士Zガンダム』　8／原作、監督、キャラクターデザイン、すべてを担当　9／押井守監督作品。1984年公開　10／『超時空要塞マクロス　愛・おぼえていますか』も1984年公開　11／連載誌は〈SFコミック〉と冠した「リュウ」　12／『機動戦士Zガンダム』放送開始は1985年　13／『機動戦士ガンダムF91』劇場公開は1991年　14／1977年創刊の月刊誌。創刊2号で『ヤマト』を特集した。1995年休刊。みのり書房倒産から四半世紀　15／『OUT』元編集長。1954年生まれ　16／『アニメック』元編集長。1954年生まれ　17／編集者。1959年生まれ　18／作家。『宇宙皇子』などで知られる　19／脚本家。館俊介名義でも活躍　20／アニメ業界の低賃金体制を手塚治虫が元凶と指摘　21／アニメーター、映画監督。1960年生まれ　22／監督・山賀博之は1962年生まれ　23／漫画家、映画監督。1954年生まれ　24／製作・野村和史は虫プロ出身

CHAPTER7

杉井 ギサブロー

すぎい・ぎさぶろー

杉井ギサブロー

1940年生まれ、静岡県出身。アニメーションにあこがれる。中学時代に漫画家うしおそうじ（後にアニメ・特撮の制作スタジオ「ピープロダクション」を設立、代表作『スペクトルマン』『ライオン丸』）に弟子入り。18歳で東映動画に入社し1962年に退社、虫プロダクションに入社、『鉄腕アトム』演出の中心メンバーとなる。1967年に出﨑統らと独立スタジオのアートフレッシュ設立。『悟空の大冒険』『どろろ』などを制作。虫プロ倒産後、『ルパン三世』や『まんが日本昔ばなし』を企画立案するが放浪の旅に。あだち充『ナイン』で本格復帰後、劇場・テレビ・OVAと切れ目なく作品を作り続けている。2012年にはドキュメンタリー映画『アニメ師・杉井ギサブロー』（石岡正人監督）も公開された。

キャリアはそろそろ60年

――杉井さんは日本のアニメの歴史そのものみたいな感じの人生を送ってますよね。

杉井　ホントだよね（笑）。『白蛇伝』[註1]からやってたから、いまごろ杖ついて白髪で、ヨロヨロしてないといけない経歴でしょ。

――日本初の長編カラーアニメであり、東映動画初の作品『白蛇伝』がデビューで。

杉井　僕は18歳で入社試験を受けたときに東映の銀座の本社に行ったんだけど、ヒゲボーボーの人とかばかりで。当時は、絵描きなんかにお金になる仕事はない時代なんですよね。だから、どうやら漫画映画っていうのは絵を描くと給料くれるらしいってことで、藝大を出た人とか、ちゃんと美術をやってるふつうの絵描きとか、そういう人が受けに来てて。いまでいう漫画が上手い人はほとんどいなかったんじゃない？

――アニメが好きな人が来るような世界じゃなくて、自由人が集まる世界だった。

杉井　そう。大きい特徴でいうと大人が多かった。いわゆる絵描きの集団だったんですよね。それと同時に、東映動画っていうのはもちろん東映で、映画会社ですから。会社も東映撮影所の横で、映画文化の一部分みたいな感じで。社長は大川（博）[註2]さん、食堂とか風呂とか撮影所とみんな一緒ですからね。僕らがお昼に食事に行くと、東映の助監督の人たちや監督さんが愚痴をこぼしてたりして、だいたい食堂では実写の人たちっていうのは人の悪口か愚痴ばかりなの（笑）。

——アニメの世界とは違うんですか？

杉井　もう全然。よく思うけど、アニメって映画予算を持ち逃げして消えちゃったプロデューサーってほとんどいないでしょ？

——ああ、実写にはいるけど。

杉井　実写はザラでしょ？

——山ほどいますよね、そういうタチの悪いインチキプロデューサーみたいなのが。

杉井　でしょ？　僕も1回ありましたよ、企画だけ立ててお金集まったかなっていうときに「集まった金を持って消えちゃったんだよ」みたいなの。それもまたおもしろいところなんだけど、ラフな世界。これは体を使ってやってるからっていうのもあると思うけど。アニメーションは、そういう意味ではまじめっていうか。……絵描きの集まりでなんで変人が少ないんですかね？

——このインタビュー連載で、アニメの世界で胡散くさい人は西崎義展さんぐらいだって結論に至ったんですけどね（笑）。

杉井　あの人はもともとアニメの人じゃないからね。歌の世界から来たんでしょ？　芸能の人だから、そりゃ根っから（笑）。僕の東映時代は4年ちょっとだったんだけど、ちょうど大学に行ったような経験したと思うんだよね。周りはみんな、映画が好きな人だとか文学が好きな人だとか美術が好きな人だとか、美術学校みたいな雰囲気があったんだけど……やってる作品がね。

――あまりおもしろくなかった。

杉井　いやぁ……つまんなかったよね。

――ダハハハハ！　そこまで（笑）。

杉井　『安寿と厨子王丸』[註3]にいたっては、なんでこんなものをアニメでやるの？　こんなことやってるんだったら漫画を描いたほうがいいなって。ホント、正直この会社ダメだなと思った。題材としてつまんないでしょ。一生懸命いろいろやってるんだけど、おもしろくもなんともない。それと決定的なのは……こんな話でいいんですか？

――全然大丈夫です！

杉井　手塚先生が『西遊記』[註4]を作るとき東映に来てたんですよ。3階の準備室で、手塚先生とか石ノ森章太郎さんがストーリーボードを描いてたの。僕は直接は知らないけど手塚先生はあこがれの人だから、それをのぞきに行くわけですよ。先生たちが仕事してるときはスタッフじゃないから行けないんだけど、誰もいないときは入れるじゃないですか。そこで手塚先生たちの描いたストーリーボードを見たんだけど、それが映画にほとんど生かされない。どうしてだろうと思いました。

編集　そうやっていろいろ忍び込んだりしてたんですか。

杉井　よくやったんですよ、そういうこと。

——……嫌な予感がしてきました（※この前に漫画家のうしおそうじ氏に弟子入りして、勉強のため下描きをこっそり持って帰っていた話があったのだ）。

杉井　そう。森康二[註5]さんの原画盗んできたりしてね（笑）。僕は森さんの動画やりたくてしょうがなかったんだけど、森組、大工原（章）[註6]組があって、僕はなぜか同期でたったひとり大工原組で。映画の撮影済みの原画が、3階の仕上げのところに山積みになるんですよ。これ捨てちゃうんじゃないかと思って、森さんのカットだけ全部盗んで（笑）。それで、ずいぶん森さんのタイミングは勉強しましたけどね。

——世代は全然違うんですけどボクも大泉の人間で、東映動画を見学したりしてて。

杉井　あそこは「おはようございます！」って言ったら誰でも入れたからね（笑）。

——中学生のときアニメーターになりたくて東映動画のアニメーターの人に話を聞きに行ったら、ずっと組合のデモとかストの話をされて心が折れて帰ったんですけど。

杉井　ああ、それも僕が東映を辞めた理由でもあるんだけどね。当時の東映って企画は全部東映本社だったの。本社で決まったものが下りてくるんだけど、東映動画のスタジオには森さんとか大工原さんとかベテランの現場の人がいるわけじゃないですか。下請けでただただ本社からくるものをやるんじゃなくて、作品の企画に現場の人たちも参加できるような体制を作りたいっていう、最初はその運動だったんだよね。

――そこはすごいわかりますよね。

杉井　僕らもそういう運動なら「それはぜひやりたい！」って。でも、組合ができたら賃金闘争だったわけだよね。同僚が組合の委員になったら、「杉井さん、1日最低何枚は描いてください」って言うの。「なんでおまえに言われなきゃいけないの？」「いやいや、これ団交で、いついつまでに作品を完成させるってことが決まってるから」と。

――これはちょっと話が違うぞ、と。

杉井　そうなんですよ。団交でそれが決まって組合がそれに協力をして、そのとおりにいったときに賃金の安い人たちに組合が要求した額がもらえるので協力してくださいってことで。でも理屈でいうと、たとえば1日8枚描けって言われて、なんでもいいんだったら描くけど、われわれがやってる仕事って同じ8枚でも質があるじゃない。だけど、それは関係なく数字なわけ。組合ができる前は大川さんが年頭に挨拶に来ては「年間長編2本！」とか言っているのを、みんな「冗談じゃねえよ」とか言っててまじめに聞いてなくて。どちらかというと作品づくりに専念してる雰囲気の人たちが、組合活動が始まってから変わっていったわけ。僕の感覚でいうと、俺たちがやってる仕事って労働って呼んでいいの？　って。

――あ、違うんですか？

杉井　だって好きなことやってるから。1時間いくらって労働賃金を取っている人って、必ずしも好きなことやってるわけでもないだろって思ったわけ。チャップリンじゃないけど、毎日ビス作っているような人たちは生活のために働いているから、それは1時間いくらで換算されてもいいけど、俺たちは好きな絵を描いたりしてるんだから、アニメーション映画を作ることを労働という範囲で考えるのはなんとなくおかしいと思ったんだよね。

——杉井さんは基本、そういう考え方で。

杉井　だって当時突然会社に来なくなったヤツがいて、3〜4カ月いなかったから、また出てきたときに「どうしたの？」って聞いたら、「交通費がないのでトラックの運ちゃんやって稼いできた」って（笑）。

——ダハハハハ！　アニメで稼げない分をトラックの運転手で稼ぐシステム（笑）。

杉井　それで通えるようになったからまた来てるとか言っていたくらい安かったんだけど。やっぱり自分が描くことは好きでやってるはずだから愛情も込められるし、ある意味ではプライドも持てるんですよ。でも、組合ができてからだんだん動画っていうものが数字になったり、組合も「労働者のために」みたいなこと言っているけど、大川さんが正月に年間2本って言ってることに対して組合が賃上げのために協力するってことは、日本の高度成長って組合が結構お手伝いしたんじゃないの？　みたいな思いが出て来て。そんな世界なら、僕が考える映画を作るって仕事とは縁がないなって、本音は半分嫌になっちゃったんだよね。そんなことのために一生この世界で仕事をやっていくのはごめんだねって。

つまらないものは作らない

――東映は組合が強かったですからね。

杉井　大川さんが組合嫌いだったからロックアウト受けたり、相当激しかったですからね。ほかの組合の支援があったり、一種のやや左翼的な人たちが、そういう思想のもとに労働の質を価値として見直そうみたいな運動は悪くないと思うんだけど、僕らはどうせ定住者じゃなくて放浪の民の末裔みたいなものなんだから（あっさりと）。

――ダハハハハ！　なるほど（笑）。

杉井　だってやらないヤツなんて1日チンタラチンタラして、たいしてうまくない絵を描いてお金もらってっていうのが労働かよ、みたいな反発があったんですよね。それに『安寿と厨子王丸』だから。次が『アラビアンナイト・シンドバッドの冒険』（註7）で、あれもおもしろくなかったですからね。

――こりゃダメだなっていう。

杉井　だけど当時は東映動画しかないんだから。東映動画を辞めるっていうことはアニメーションやめることなんですよ。だからアニメーションをやりたければ、嫌でもいなきゃならないんだけど、こんなところにいたってたいしたことないんじゃないかなって。『西遊記』はおもしろかったけど、実際に映画にしたら手塚先生たちが作ったストーリーボードの3分の2ぐらいは捨てちゃってるんだよね。だから「え、『ぼくのそんごくう』[註8]っていう手塚先生の原作とはほど遠いんじゃない？」って。それは後々、もしかすると手塚先生が虫プロを作った要因かもしれないけど。もし手塚先生たちが作ってたストーリーボードのままの映画をあのとき東映が作ってたとしたら大ヒットしたんじゃないかな。

――虫プロもなかったかもしれない。

杉井　そうそうそう、先生は満足しちゃって漫画ずっと描いて、自分が映画作りたくなったら東映とやってたぐらいかもしれない。

――そんな杉井さんも虫プロに移って。

杉井　そうですね。僕は手塚さんがアニメやるとは思ってなくて、半年は失業保険が出るから当てもなく辞めちゃったわけですよ。で、パチンコやったりしてしたら、たまたまツキさん（月岡貞夫[註9]）から、「おまえ、手塚先生のとこ行け！　アニメーションやるぞ！」みたいな話があって。手塚治虫がアニメーションやるって言ったら、そりゃおもしろいもん作るだろうって期待感はあったね。それで虫プロに入って手塚先生を訪ねて行ったら、「やあ、ぎっちゃん、よく来てくれました！」「ぎっちゃんって、初めて会いましたけど」って（笑）。「東映動画でいくらもらってました？」「1万3000円かな」「わかりました、倍出しましょう！」「えーっ!?　ラッキー！」みたいな。あの先生は「倍出しましょう」が得意でね。

――とりあえず倍（笑）。

杉井　あの頃の手塚先生ってもう大巨匠ですから、僕なんかにしてみたら年齢とか考えたことないし、40か50みたいな雰囲気だったんだけど、当時30代だったんだよね。虫プロってよく考えたら30代の青年が20代の若者を集めてスタジオ作ったんだっていう、そういう意味ではすごいですよ。

――それで日本初のテレビアニメを作り。

杉井　ええ。手塚先生っていうのは自分はアニメーションの専門家じゃないって思いがあったんだと思うんですよ。僕とかは東映動画でちゃんとアニメーションの勉強してきたから、ああやれこうやれって一切言われたことないですよね。逆に言うと、自分はアイデアは出すけども、それを映像化するのはお任せします、って人だったから。

――虫プロでは『悟空の大冒険』[註10]で総監督として抜擢されたのも早かったですよね。

杉井　ね。27～28歳じゃないかな。いま冷静に考えれば『鉄腕アトム』の後番組ですよ。「『アトム』の後番組やってくれ」って言われて、僕なんか「あ、いいですよ。ラッキー！」ぐらいで、怯えなんかもないし。しかもパイロット版を作ったと思えば、「やーめた」とか言って（笑）。

――ひどすぎますよ（笑）。

杉井　それは経緯があって、僕はスラップスティックが好きなんですよ。『バックス・バニー』[註11]とか、ああいう極端なスピード感のあるアニメをやりたいので、オリジナルの企画をやらせてくれないかって企画を出したら、専務に「ぎっちゃん、虫プロでオリジナルは早いよ。何か手塚先生の作品のなかでやりたいのはないの?」と言われて。で、『ぼくのそんごくう』は東映で違う作品にしたっていうイメージがあるから、「『ぼくのそんごくう』をやらせてくれ」って言ったのね。そしたら手塚先生に呼ばれて、「『ぼくのそんごくう』はもうやっているからダメだよ」「え、どこでやってるんですか?」「東映で」「いや、あれは『ぼくのそんごくう』じゃなくて『西遊記』で、漫画と全然違うじゃないですか。僕は手塚先生のカラーの色の使い方とか、手塚先生の漫画の雰囲気をアニメーションでしたいからやらせてくれ」って言ったんだけど、それでもだめだってことで。

――だけど諦めなかったんですね。

杉井　そう。「じゃあ先生、僕が勝手に『西遊記』からオリジナルでアニメーション化するってことでどうでしょう?」って言ったら、「それならいいかな。『西遊記』は中国の話だから、それをぎっちゃんがいかようにしてもいいんじゃないの?」って言ってくれて、『西遊記』のギャグもののパイロットを作ったんですよ。でも途中で、こんなの半年から1年やってもしょうがないなと思いはじめちゃって、「申し訳ないけどやれない」って先生に言ったんです。「何が不満なんですか?」って言うから、「どうもつまんなくて。パイロット作りましたけど、あんなものシリーズでやっても、いま自分がやりたいものとも合致してない」みたいな。もちろん言ってるときはもう二度と虫プロと仕事できない覚悟ですよ。

――それにしたって理不尽すぎますよ！

杉井　ね、ふざけんなって話で。そういうことが何回かあるんだけど、手塚先生に「二度と虫プロの敷居をまたぐな」って言われるの覚悟で、これで手塚先生と二度と仕事できないなと思いながらワガママを言ってるんですよ。そしたら、「わかった、あなたの好きなようにやりなさい」と。

――それなのに許可が出た！

杉井　ええ。それで先生が一筆書いてくれたの。「以後、杉井ギサブローがやる作品に関しては僕は一切口をはさみません　手塚治虫」ってハンコもついてあって。

――へぇーっ！

杉井　それでもう、「やったー！　好き放題やるぞ！」みたいなもんだよね。あれはオープニングに一番精神が出てるんですよね。「スリーツーワン、ドカーン！」って、あれはカウントリーダーですから。

――それ自体が反抗だったわけですね。

杉井　反抗だよね。あの頃のテレビ局は手動でVTRを流してて、リーダーが流れちゃったら放送事故だからスポンサーがお金払わないっていう世界だったんで、ふざけんな、みたいな。じゃあリーダーから始めたらいいんじゃないかっていう発想です。

――完全に嫌がらせですよ！

杉井　話も、とにかくまとめるなんてことは考えるな、みたいな。物語は起承転結の結があっての話じゃねえだろ、何か起こったら終わっちゃったっていいんだよとか、いろんなこと言ってて。僕もまだ若かったけど、『アトム』を作って、当時『ジャングル大帝』も始まっていて、『リボンの騎士』も始まる頃で。僕は虫プロで育っているから虫プロを愛しているし、手塚先生の作品っていいんだけど、そういうことばっかりやってると優良スタジオみたいになっちゃって活力がなくなるんじゃないかと思ってね。誰かが乱暴なことやって壊さないと、どんどん作品がまとまっていっちゃうし、それってよくないんじゃないかとも思っていたんですよ。だから思い切り壊しちゃえ、と。そしたら放送前に『悟空の大冒険』は大問題になって。

――めちゃくちゃおもしろかったのに！

杉井　局としてはダメだったみたいですね（笑）。僕の勘としては、『鉄腕アトム』が大ヒットして売り手市場だから暴れたっていいんじゃないかっていう思いがあって、手塚先生は「一切文句は言いません」って言ってるんだから、やっちゃえみたいなもんですよね。それには発想を逆転することで、みんながまとめようとするものは壊す。だから「潜水艦なんか海に走らせるんじゃねえよ、砂漠を走らせろ！」とか、そういうことをやって。そしたら、なんか大騒ぎになって。

――どんなレベルの騒ぎだったんですか？

杉井　いやたいへんだったんじゃないですか？　後々、僕はフジテレビ出入り禁止ですから。

あとから聞いたんですけど、手塚先生のところに相当な文句が行って、「こんなのは放映させない」ってことでね。

——でも、手塚先生は文句を言えない。

杉井　ええ。手塚先生は、僕には好きなようにやれって言っちゃったからやらせりゃいいじゃないか、みたいな。まあ、僕が作るとだいたい騒ぎになるんだけど（笑）。

——そうだったんですね（笑）。

問題作のつるべ打ち

杉井　必ず呼び出されて囲まれて、「なんでこんなもの作るんだ！」「こんなもので視聴率は取れない！」って。それで実際やってみたら『アトム』と変わらない視聴率を取っちゃったんです。当時で30パーセント近くあったんじゃない？　ざまあみろって話ですよ。だって僕、呼び出されて「こんなもの誰が観るんだ」って聞かれて、「そりゃ子供が観るんじゃないですか？」「話がわけわかんない」「大人はわからなくても子供はわかるよ！」って言っていて。

——ボクも子供だけどわかりましたから。

杉井　番組がスタートするときも、企画の段階でフジテレビで脚本を書いてる人を全員集めてもらって、そこで「いまテレビ局で放映しているドラマとか観てるけど、どれひとつおもしろくない。なぜかといったらみんな似たような構成だから。僕はああいうムードを壊したいんだ」って言ったの。

――……そこに呼んだ人は、そういうドラマを書いている人たちってことですよね？

杉井　全員ですからね。20代の若造の僕が怖いもの知らずで「ドラマを壊したい。そういうものに興味ある人は残ってくれ」って大演説やったんですよ。そうしたら井上ひさし[註12]さんとか佐野美津男[註13]さんとか、あのグループが手を挙げてくれたんですね、「非常におもしろい、ぜひ一緒にやりたい」ってことで。それでスタートしたから……。

――基本は反骨心なんですね。

杉井　何か壊さないとおもしろいものが生まれないんじゃないかっていうのは結構あったよね。ふつうの実写映画でも、『ウエストサイド物語[註14]』なんて舞台でやるならわかるけどあんなもの映画じゃねえよとか、そんな話ばっかりしてた時期ですね。なんか壊すことによって新しいものが生まれる、そういうことをやりたかったんです。

――そうやって壊した結果、『どろろ[註15]』もまた問題になっちゃうわけですけどね。

杉井　また問題になって引っ張り出されて、なんなんですかね。でも、『どろろ』っていまだに好きな人いるじゃないですか。

――ボクも好きですよ。ただ、あれをゴールデンタイムでやるのが間違いですよね。

杉井　そうだよね（笑）。「監督、みんな食事してるときに赤い血が流れるんだよ、気持ち悪いです」って言われたから、「じゃあ黒くしましょう」って。黒澤明じゃないけどモノクロだ、しめしめ、みたいな。

——ダハハハハ！　あれは結局、スポンサーが怒っちゃったってことなんですか？

杉井　スポンサーの意向でモノクロになりました。あれは2クールで終わったかな？[註16]　視聴率が悪くて、その前から手塚先生にはずいぶん局のほうから……あれ漫画連載に関しても「大人っぽくて、あんまりおもしろくないからもう少し考えてくれ」って先生も言われていて。で、手塚先生が僕のとこに来て、「ぎっちゃん、２クール目からギャグものにできない？」とか言って。「『どろろ』をギャグものは無理でしょ」「だけど僕もいろいろ言われても対処しますから、ぎっちゃんもがんばってギャグものにしてください」とか言われて。

——さすがに無理ですよね（笑）。

杉井　「僕は手塚先生の『どろろ』っていう漫画が非常におもしろくてあの企画を出してやってるんで嫌です」って言ったんですよ。そしたら、「ぎっちゃんはどういう番組にしたいんですか！　百鬼丸が48体の魔物を倒したあと、どうするんですか！」って言うの。そりゃ自分が48体の魔物を倒して一人前になるのが彼の生きる目的だから、「それ倒したら坊さんになって旅に出るしかしょうがないんじゃないですかね」って言ったら、「そんなアニメを誰が観るんですか！　子供は観ませんよ！」とか言われて、それで2クールから体制を変えて。

——『どろろと百鬼丸』（14話以降）に改題して。

杉井　はじめの頃のオープニングは『七人の刑事』[註17]みたいだったんだよね、冨田勲さんがコーラス入れたりして。タイトルは木版を彫る人のとこ行って、木版で彫ってもらったものに火を被せたりしてね。僕は変なものを作ってるんじゃなくて、『どろろ』っていうちょっと大人の作品を子供が背伸びして観たっていいじゃない。自分が子供の頃を思い返すと、わけわからないけど大人の映画を観てたし、子供ってそんなバカじゃないから、なんか感じ取る能力は持ってるもんだよって。でも結局、方針変えちゃったんで、担当プロデューサーに「おまえ、プロデューサーなんだから降ろす権限を持ってるんだし、俺を降ろせよ」って言って。

――ホントに無茶なこと言いますよね。

杉井　「いや、それはできません」「監督が嫌だと言ってるんだから降ろせばいいじゃん。現場に来たってしょうがないから、俺は来ないよ」とか言いながら、ほとんどスタジオも行かず、勝手にやっとけって。『悟空』も同じだったの。『黄金バット』[註18]のアニメが始まるって聞いて。おもしろそうだと思ったら、それが『悟空』同時間。で、蓋開けてみたら30パーセントを15・15に分けちゃって、大騒ぎになって。

――また呼び出されたんですか？

杉井　まず手塚先生に呼ばれて、「ぎっちゃん、『黄金バット』にやられてるじゃないですか」って言うから、「新聞で見たとき、僕も『黄金バット』やりたいと思ったんですよ、おもしろそうだし」って言ったら、「何言ってんですか！　いま局で大騒ぎで、『黄金バット』に視聴率を取られたからなんとかしなきゃいけない。ぎっちゃん、『悟空』を『黄金バット』のような作品にしてもらえませんか」って言われて。

——ダハハハハ！　手塚先生がかなりの負けず嫌いなのは有名ですけど、その対抗の仕方は確実に間違っていますよね（笑）。

杉井　「だって僕が作ってるのはギャグものですよ」「いや、なんとか考えて『黄金バット』に対抗するようなものを」って、そんなのできるわけねえじゃねえかと思いながら、スタジオじゅう大騒ぎになっててホントにたいへんだったんですよ。スタッフも浮足だっちゃったから、とにかく全員集めて、「視聴率なんて、たかだか何百台かをモニタで取っているだけだ、おまえらそのために仕事してるのか？　しばらく待ってりゃ向こうの視聴率も落ちるから心配するな。黙って初志貫徹しろ！」って言って。

——その通りだと思います！

杉井　でも、やっぱりもうちょっとわかりやすいまともな番組を作ったほうがいいんじゃないかって空気はスタッフも半分ぐらいあったんじゃないかと思う。直接言われてないからわかりませんけど。それで局の圧力と手塚先生の依頼で、『悟空』に妖怪連合っていうのを登場させて『黄金バット』に対抗することになって、「勝手にやれ！」って。そういう事件がなんか起きるんですよ。なんですかね？　ズレてるのかもしれないけど、何やっても大騒ぎになる。

——ある時期まではずっとそんな感じで。

杉井　歳とってからでも、『銀河鉄道の夜』なんて大騒ぎですからね。「こんな映画、誰が観るんだ！」って僕と別役（実）[註19]さんなんて取り囲まれちゃって。朝日新聞社だって完全に3億損したっていうね。

――そうだったんですか！

杉井　「アニメなので宮沢賢治をわかりやすく子供向けに作ってくれると思ったら、なんなんだこれは、騙された」みたいな。「監督、こんな映画誰が観るんですか！」「いや、宮沢賢治ファンが観るんじゃないですか？　心配しなくていいですよ、賢治がお客呼ぶんだから」って。で、別役さんが「監督、ずいぶんプロ好みの映画作っちゃったね」って言うから、「いいんですよ、たかが3億」って。アニメーションは子供のものだから一段下の分野っていう感じがなんとなくあって。宮沢賢治をアニメでやるっていったらこれくらいのことやらないと意味がないと思って。

漫画映画がアニメになって

――素朴な疑問なんですけど、『ヤマト』や『ガンダム』で日本にアニメブームがきた頃、どういうふうに見てたんですか？　杉井さんはちょうど放浪中でしたよね（1974年から82年までアニメの世界を離れ、放浪の旅を続けた）。

杉井　そんな抵抗はなかったですよ。でも、放浪中だから『ヤマト』はまともに観てないです。西崎さんがスタジオで劇場版を作ってたときかな、フラッと顔を出したら西崎さんが「ぎっちゃん、僕もついに劇場映画作れることになったよ！」って自慢気に言って、僕は放浪中でリュックかなんか背負いながら「へぇーっ、よかったですね」って言って。で、『ヤマト』観たら、ひどいもんだなと思った。

――ダハハハハ！　まあアニメとしての出来はちょっとアレだったとは思います。

杉井　関わった人には言っちゃいけないのであんまりこういうこと言わないんだけど、正直言ってたいした仕事してないじゃんと思って。内容聞いたら、なんだ昔の戦争映画みたいなの作ってるんだなって。言わなかったですけどね。『ヤマト』に関してはその程度ですよね。ただ『ヤマト』は初めてアニメで年齢層を上げる役割をした作品で、そういう意味では歴史的な作品です。でも、やっぱり物語としては単純ですよね。「地球を守るためにみんな命懸けるぞ！」みたいな。『ガンダム』はちょっと質が違っていて、初めて物語というものに本気でＴＶアニメで向き合った作品で。まあ、『ガンダム』もちゃんと観ていなかったですけど。

――10年間の放浪中に日本のアニメの状態が完全に変わっていたわけじゃないですか。

杉井　変わってましたね。これなら映画を作れると思ったのは、アニメーターの仕事に対する考え方が変わっていたことで。僕が旅に出る前の時代は、とにかく人間関係がほとんどものを作らせてたんですよね。たいへんな仕事をさせようと思ったら、なだめたり誉めたり、「おまえはすごい！」みたいなことを言ってやるしかない時代だったんだけど、帰ってきて『銀河鉄道の夜』を作ったとき、ふつうでいうと船が難破して沈むときにゾロゾロッて人が出るじゃないですか。あれってアニメーションで作るのは嫌なんですよ、モブシーンなんで。

――ああ、しんどいだけだから。

杉井　だけど、やらなきゃしょうがないからシラッと「ここは避難する人たちの群集ね」って打ち合わせしたら抵抗しないんですよ。文句言われるの覚悟で言ってるのに、なんで何も言わないのかなとか思って、プロデューサーに「あのモブシーンたいへんなんだけど、アニメーターからカット割り変えてくれとか苦情ないの？」って聞いたら、「いやありました」「そうだろ？」「内容じゃなくてお金です」って言うんですよ。「あのシーンはふつうのシーンよりもたいへんなんで倍出してほしいって言ってきて。もちろんたいへんなんで、わかりましたってことで出しました」と。「へぇーっ、プロっぽいじゃん」と思って（笑）。

――そこが良くなった部分ですか！

杉井　そうそう。金でスタッフを使えるんだったら、ヨイショするより全然いい。だって文句あるんだったら金あげればいいんだから。倍出せばやるっていうんだったら、3倍出したら3倍たいへんなことやってくれるでしょ。これが一番変わったね。

――金さえ出せばなんとかなる（笑）。

杉井　僕は長くアニメーションやっていて、アニメ業界がなかなかプロの業界にならないことが不満だったのね。作画がギリギリで間に合わなくてダビングのときにまだ絵を描いているとか、実写の世界じゃ通用しないですよ。そんなことしたら二度と仕事こない。プロは9時に集まれって言われたら8時半に来てますよ。それが10年経ったら非常にみんなプロっぽくなっていたのが一番の喜びかな。

――10年間いないあいだにアニメ雑誌とアニメファンという存在もできましたよね。

杉井 いいこと半分、悪いこと半分。『アニメージュ』なんかものすごく貢献しているね、いい面と悪い面と。作家性を持ったアニメーターとか認識をさせたのは『アニメージュ』じゃないかと思うんだよね。半面、今度はアニメーターたちが作家意識を持ったために人を育てなくなったから。

――杉井さんって作家性がありながら、そうじゃない部分もある珍しいタイプだと思うんですよね。「頼まれたことはなんでもやるよ!」っていうタイプにも見えて。

杉井 ああ、基本的に自分の趣旨に合わないものはやらないけど、合うものであればどんなものでもやるから。「杉井さんって『悟空』やったと思ったら『どろろ』やって、今度は宮沢賢治やったら『タッチ』[註20]やって、めちゃくちゃですよね」って言われて、「節操がないからね」って答えたんだけど、僕は同じじゃんって思うの。『紫式部 源氏物語』[註21]と『銀河鉄道の夜』を作っても。

ゲーム知らずがわかったこと

――そこはそんなに違いはないかもしれないですけど、『ストリートファイターⅡ』[註22]とかになると違ってくると思うんですよ。

杉井　ハハハハ！　あれは、なりゆきでやったの。だってあんまりオープンにできないかもしれないけど、池田（成）[註23]君が逃げちゃったんだから。（グループ・）タック[註24]にしては珍しい作品やるなとは思ってたんだよ、ゲームの企画なんて。僕はゲームなんて興味ないから。

――まあ、そうでしょうね。

杉井　で、タック以外のスタッフを集めていて、よくやるよなとか思いながら、僕は関係なかったから。そうこうしてるうちに、あるとき藤田（健）っていうタックのプロデューサーが青い顔して飛んできて、「ぎっちゃん、助けてほしい。『ストⅡ』の監督がやめちゃったんだよ。だけどもうウチお金を取っちゃってるし、あれやらないとウチの会社が潰れちゃう」。話がよくわからないんですけど、どうも池田君がカプコンと揉めたらしい。絵コンテの段階でカプコンが注文つけたんじゃないですかね。

――それで降板しちゃった、と。

杉井　そんなことじゃやれないって。だけどタックとしてはもう受けちゃった仕事だし、カプコンはもうやらなくていいと言っている、と。つまり『ストⅡ』はべつに映画なんか作らなくたってゲームは売れてるから、そんなもの作らなくていいって言ってるんだけど、今井賢一っていうプロデューサーが何年もかかって、ようやくアニメ化にたどり着いたんでなんとかやりたい。で、藤田は「ぎっちゃん、今回は杉井の映画とか一切忘れて、助けると思って。とにかくスタッフも全部残っているから引き受けてほしい」っていうことで。

――完全な尻拭いじゃないですか！

杉井　「いや、引き受けたとしてもゲームとかわかんないし。今井さんっていうプロデューサーはどうしてるの？」「ホテルに缶詰めになっている」「プロデューサーが缶詰めになるって、誰が缶詰めにしてるの？」「自分で缶詰めになっている」って言うのね。もう半年以上準備に使ってるわけですよ。どうもプロデューサーは長年カプコンと付き合ってきて、いまさら脚本家を集めて説明している暇がない。いちいち『ストⅡ』の世界を知らない脚本家に説明するぐらいだったら自分で書いたほうが早いって言って、勝手に自分でホテルに缶詰めになっている、と。これ面白いなと思って。

――そこを面白がるんですか（笑）。

杉井　そういうプロデューサーは珍しいなと思って、そこに興味を持って、「ちょっと今井さんって人に会わせてよ」って言ったの。そしたら「監督、頼みます。脚本は全部僕が書きますから。明日からいままで書いたぶんどんどん回しますから」って。「どのくらいの期間で撮るんですか？」って聞いたら、残りは半年しかないの。バトル映画を半年で作れるわけねえじゃねえか！って。そもそもアニメ映画を作るのになんで1年なんだ。僕なら最低で1年半。最初から1年の契約なのが根本的におかしい。でも、タックが潰れてもたいへんだから、ふつうの映画の3倍スタッフを集めたんですよ。それで3班作る。作監も全部で3人で、3班が半年間で30分ずつ作れば1時間半になるんじゃねえかって。監督はたいへんですよ、3班ぶんを回さなきゃいけない。で、今井さんがまたホテルから送ってくるシナリオがシナリオの形にはなってない。

――まあ、脚本家ではないですからね。

杉井　それを端から僕が修正していって。もうスタッフはダレダレ。だって半年間もほったらかされてて、映画できるかわかんない。しかも言うこときかないようなベテランが集まってるわけ。これはどうしようもないから嘘つくしかないと思って。スタッフを集めて、「ホントは池田君が監督やるはずだったんだけど、カプコンといろいろあってダメになったから僕が代わりに監督をやる。ただ残りあと半年しかなくて、カプコンは作らなくていいって言ってる。せっかくアニメーションとして受けた仕事ができないってみっともないので、いまからオープニング、イントロだけでも何週間かで作ってそれをカプコンに見せることになってる。だから申し訳ないけど明日から追い込みに入るぞ」って、無茶なスケジュールを言って、「全員で徹夜して追い込みしてパイロットを上げろ。それが通ったら映画がＯＫになる」って大追い込みに入ったんですよ。やっぱり現場っていうのは、追い込みで持ち上がってくるんですよ。で、まんまとスタッフ騙して（笑）。

——嘘だったんですか、それ！

杉井　で、素晴らしいイントロが出来て。

——かつてよくケンカしてた人が、逆にケンカの尻拭いをする側になったんですね。

杉井　そうそう。スタッフもうまい人たちだったので結構楽しんでやったね。だれを取っても劇場映画を作れるような人たちが3人集まって3班編成でやっているんで、でき上がったときはとても半年で作った映画には見えない。よくできているよ。僕の助監督やっていた男がゲーム大好き人間なんですね。しょうがないから電話して、「わけわかんないけど、ゲームの映画やることになったから、おまえ助監督で来い」って言って。彼はもうアニメから離れて本屋で働いていたの。「いいから本屋辞めろ」って言って。

——えーっ！

杉井　彼に「俺にゲームをレクチャーしろ」「え、『ストⅡ』の映画を作るのにゲーム知らないんですか？」「知らないよ！」「じゃあ、まずゲームにはロールプレイングゲームっていうのとバトルゲームっていうのがありまして」って言われて。

——その段階から（笑）。

杉井　その段階。で「その『ストⅡ』というのは、ゲームセンターでみんなまじめに夢中でやってる有名なバトルゲームなんです。ウチの本屋に大学生ふたり、『ストⅡ』のことなら俺の右に出る者はいないって豪語してるヤツがいるから会います?」って言うから、「いいじゃん、会おうよ」ってことになって。そのふたりの大学生が『ストⅡ』とはっていう話をいっぱいするんですよ。それを聞きながら、「よし、わかった。『ストⅡ』のマニアが期待しているような映画を作るのやめよう」と。

——話を聞いた結論がそれ（笑）。

杉井　そう。つまりファンの代弁はしない。ただ彼らの話を聞いていると、勝手に頭のなかで物語を作っているんですよ。で、ゲームを見たら、これがチャチい絵でさ。

——ああ、まだクオリティ的には……。

杉井　こんなのアニメにも何もならねえよって世界なのに、ものすごいこと言ってるわけ。この人たちは頭のなかで『ストⅡ』を作っている。だから君らがゲームやりながら頭のなかで作っている『ストリートファイターⅡ』を僕が映像にしようっていうことにして。それで今井さんっていうプロデューサーに、「カプコンに伝えてほしい。僕はアニメーションを何十年もやっていてその道のプロだ。僕はカプコンの人たちがゲームに関して何をやろうと一切言わないから、映画は俺の仕事だから口を出さないで欲しいって言ってください」って言って。

——またそのパターン（笑）。

杉井　それで一切チェックがなくなったんだけど、出来上がったあとカプコンのスタッフもすごい喜んで、「監督はなんで自分たちがゲームに込めている想いをあんなに表現できるのかよくわからない」とか言われちゃって（笑）。だってカプコンの条件は、「宣伝映画ですからとにかくカプコンの『ストリートファイターⅡ』に出る全登場人物を技とともに出す」ってことだったから、それ映画でやるのは無理だなと思ったんだけど、よく考えたらそういうのを東映とか大映とかで昔、お正月に片岡千恵蔵[註25]と市川右太衛門[註26]が出たりとかしたでしょ。

――大物スターが山ほど出る映画が。

杉井　あれだなと思ったんだよね。だから今井さんには「今回ドラマみたいなことは一切考えずに、とにかくキャラクターのアクションで見せる。ドラマはみんな取っちゃうけどいいですか？」って。（取材場所は喫茶ルノアール、個室のタイムリミットを知らせる電話がかかる）……あ、もう時間？　時間聞いておけばよかったね。こういう話だと何時間でもしちゃうから。

延長戦も波乱万丈

――延長できそうです。杉井さんの作品で一番浮いてる気がするのが『シナモン　the Movie[註27]』だと思うんですよ。

杉井　ね、あれは丸さん（丸山正雄、マッドハウス元社長）のせい。古い付き合いだから、乗せられちゃってさ。

――またそういうパターンですか（笑）。

杉井　だって『スーパードール★リカちゃん』[註28]なんかも、「ぎっちゃん、ちょっと頼みがあるんだけど、リカちゃんやってくんない？」「へ？　リカちゃんってあのリカちゃん人形の？　そんなの俺に向いてないでしょ」「リカちゃんっていっても『ローマの休日』[註29]だから」「え、それはおもしろそうだな！」ってことになって（笑）。

――ダハハハハ！　すぐ乗っちゃって。

杉井　「わかった、リカちゃんで『ローマの休日』をやりゃいいのね」っていうところでムラムラッときちゃうわけですよ。

――で、『シナモン』の場合は？

杉井　『シナモン』は15分でいいって言われたのかな？　ホントはサンリオの辻（信太郎[註30]・社長）さんがやりたい『ねずみ物語[註31]～ジョージとジェラルドの冒険～』っていうのがあって。ただそれは「予算のせいで1時間半とかできない。1本というわけにいかないんで2本作りたいんだけど、シナモロールっていう犬のキャラクターがいるから、それを短編でくっつけたい。幼児ものだし簡単でいいから、やってくんないかな」みたいなこと言われて。10分やそこらのものだったらいいか、みたいなことで入ったんですよ。そしたら途中で、「ぎっちゃん、松竹も関わったら、『シナモン』をメインにしようってなった」って。

――またおかしなことになって（笑）。

杉井　長さも倍ぐらいになったんじゃない？　だけど実はサンリオとは、あそこがアニメ部を作ったときから関わりがあって、辻さんとはたいへんな仲だったんですよ（笑）。もう何十年も前の話ですけど、サンリオはいくらでもお金が儲かっちゃってるんで、アニメーション作りたいから協力してくれって話が来たの。そのとき僕らは『ジャックと豆の木[註32]』を作っている途中で、ちょうど真ん中まで作ったとき虫プロが倒産したんです。もともと『ジャックと豆の木』は45分の中編だったんですよ。もったいないから、自分たちで資金を集めて最後まで作ろうみたいな話になって。

——それも大変ですよね？

杉井　だって毎夜毎夜、仕事終わってから僕と田代（敦巳[註33]）と中田（実紀雄[註34]）が散って借金に回っていたから。「初恋の女のとこ行ってみるか」とか言って、「申し訳ないけど100万貸してくれないか」って、とにかく毎晩、スタッフの給料払うのに3人で借金しまくっていたんですよ。それもそんなに長く続かないなっていうところで、ヘラルドに「いま『ジャックと豆の木』を作っていて45分の企画なんだけど、1時間半ぐらいにするから劇場映画にして、お金を出してくれないか」って言ったら、「サンリオがアニメーション部を作りたいって言ってる、サンリオのお手伝いをすればサンリオがお金を出すと言ってる。辻さんは『幸福の王子』を作りたいらしい」って言われて、それはもうバンバンザイですよ。

——なんとか資金繰りの目処が立って。

杉井　そしたらスタッフの給料日の1週間ぐらい前に辻さんが、「突然アメリカに行かなきゃいけなくなった。次のお金は自分がアメリカから帰ったあとにしてくれ」って言ってきたの。「いや、それだとスタッフの給料に間に合わない。どれくらい行くんですか?」「1カ月くらいかな」「いやいやいや、それはスタッフに払う金なくなっちゃうんでダメです。アメリカに行く前に置いてってくださいよ」って言ったら、「僕が払うのは『幸福の王子』のお金で、『ジャックと豆の木』のお金じゃないよ。いま前渡ししてくれなきゃ困るって理屈が僕にはわかんない」って言い出したの。

――ピンチじゃないですか!

杉井　で、僕が「何言ってるんですか、アニメの世界は前取り前取りで、次の企画で出たお金で埋めて回す自転車操業でやってるんですよ。辻さんが作りたい『幸福の王子』は予算の内で責任をもって作るから、いまのお金を僕らが『ジャックと豆の木』の完成のために使うことは了承してくれ」って言ったら、「いや、そんな話は聞いてない。いまからアメリカ行かなきゃいけないから」って。で、中田氏に「おまえ、一緒にタクシーに乗ってお金を取ってこい」って、ホントに飛行場まで行ったんですよ。

――ダハハハハ!

杉井　でも一切出さずに飛んでっちゃった。それでもう大騒ぎになって。で、ヘラルドの原(正人)[註35]さんはそのとき、「杉井君、民音[註36]に行ってこい。民音が前売り券を引き受けてくれると言ったら、僕がヘラルドから金が出るように交渉してあげる」と。それなら行こうって、民音それで信濃町でってよくわかんないけど、あとから聞いたら池田大作[註37]が創立者なんですよね。それで信濃町でプレゼンやったら、民音の偉い人に「監督、この『ジャックと豆の木』っていう映画のテーマはなんですか?」って聞かれて、「それは奇跡を信じるってことです。奇跡は信じない限り起きない。奇跡というものを信じれば瓦だって飛ぶんですよ。そういう映画です」って言ったら、「わかりました、考えておきます」なんつって。考えるって言われても困っちゃうんだよなと思ってヘラルドに戻ったんです。で、原さんに「考えておくって言われた」って言ったら、「よし乗った!」って言われて。「え、どういうことですか?」「あの人はいい加減なこと言う人じゃなくて、ダメなものはダメだって言う。考えておくっていうのはOKなんだ」って。民音が前売り券をある程度面倒見るっていうことは、それはもうヘラルドを説得できるっていうんで、それでヘラルド映画からお金が出るようになったんですよ。

——いい話だなー(笑)。

杉井 その後、辻さんが自分の経営理論みたいな話をしていて。辻さんって不思議な人で、ピラミッド経営理論とかいって、初めにスタッフを組んで事業をスタートするんですよ。ある程度いったとき、1回キャラにしちゃうの。それからもう1回スタートしたときに、同じようなピラミッドができるような事業はOKだけど、その力がない仕事は途中でキャラにしたときにピラミッドにならないって話をして。「ああ、そうですか」って全然よくわかんないけど聞いていて。それをやられちゃったんですよ。

——そういうことだったんですか！

杉井　辻さんはそのとき僕らに向かって、「サンリオはフリーの人を一切使わずに全部社員でやっている。杉井監督、ウチの社員になれ」って言ったの。「いや、それはできません。僕は東映だって辞めちゃっているし虫プロも辞めている。いまフリーでやっているのは会社組織に未練がないからで、ウチのスタッフも全員フリーで社員にはなりません」って断ったんですよ。そのあと聞いた話で、辻さんがアメリカに行ったのは、『ジャックと豆の木』を潰すつもりだったそうです。自分がお金を出さなきゃ金が集まらないから、そこで『ジャックと豆の木』は崩壊するだろう、と。彼らが『ジャックと豆の木』を完成させてサンリオに来たら彼らは自信を持ってて、それじゃ自分の言うこときかない。1回潰してどうにもならない形で引き入れようっていうつもりだったようだってあとから聞いたの。『ジャックと豆の木』が頓挫したときに自分が救うというかたちで現れる、と。それを聞いて、「コノヤロー、誰がサンリオなんか行くか！」ってなもんで、全スタッフに「二度とサンリオの商品買うんじゃないぞ！」って言ったわけ。

——そこにつながるわけですね（笑）。

杉井　そしたらなんと、ウチの『ジャックと豆の木』のスタッフを全部裏で引き抜かれて、まだ仕事終わってないのに3分の2以上のスタッフがサンリオに行っちゃったんですよ。虫プロが潰れて、『ジャックと豆の木』はたまたまグループ・タックが引き受けたけど、みんな不安だった。たぶん給料もサンリオのほうがいい条件を出したんで、チーフクラスが全部行っちゃったんですよ。で、残った人間で仕上げて無事に上映できたけど、コノヤロー、みたいな。

――より憎しみが高まって（笑）。

杉井　富岡（厚司）っていう『悟空』の制作担当やってた古い仲間がサンリオのプロデューサーで、『ジャックと豆の木』の完成試写のときに僕のとこ来て、「ぎっちゃん、上がったね」とか言うから、「おまえは10年間、俺に口きくな」って追い返したの。彼がサンリオにみんなを引っ張ったんですよ。まあ、いまは仲いいんですけど。もう10年どころか40年前ですからね。でも、辻さんに対しては、世の中にはああいう経営者もいておもしろい人物だなと思ったの。それで30年も経って僕が頼まれたのがシナモンだったから。

――またそこでつながって。

杉井　何十年ぶりで辻さんとも会いましたよ。恨みなんかは全然ないです。あれはいい勉強をさせてもらったと思っている。だから僕のアニメ人生ってまだまだ終わってないし、『悟空』やった頃とあんまり変わってないです。

――反骨の人生ってことなんですね。

杉井　というところでどうでしょう？

――ありがとうございました！

【註】

1／日本初のカラー長編アニメ映画。1958年公開　2／謎多き人物　3／1961年公開。原作は中世の説経節　4／当時手塚のアシスタントだった月岡貞夫も同行　5／アニメーター、東映に吸収される前の日本動画に入社　6／『白蛇伝』の原画は森&大工原のふたり　7／1962年公開。脚本クレジット＝手塚治虫、北杜夫　8／書籍化された折『ぼくの孫悟空』に（秋田書店・1953〜）　9／アニメーション作家。『狼少年ケン』は東映動画のテレビアニメ第1作　10／明治製菓など提供　11／『ロジャー・ラビット』ではミッキーマウスと共演　12／杉井は『ブンとフン』のイラストを担当　13／作家。『ピカピカのぎろちょん』など　14／1961年公開。ジョージ・チャキリスのダイナミックなダンスシーンは有名　15／カルピス劇場（のちの世界名作劇場）第一作　16／後続番組は『ムーミン』　17／TBSドラマ　18／大塚製薬提供　19／劇作家。『マッチ売りの少女』『淋しいおさかな』『虫づくし』など　20／原作・あだち充　21／1987年劇場公開　22／1994年劇場公開　23／『鎧伝サムライトルーパー』『新機動戦記ガンダムW』監督　24／音響監督・田代敦巳（故）　25／時代劇六大スタア（ほか市川右太衛門、阪東妻三郎、大河内伝次郎、嵐寛寿郎、長谷川一夫）　26／『旗本退屈男』早乙女主水之介役　27／2007年全国ロードショー　28／リカちゃんの発売30周年企画作品　29／脚本ダルトン・トランボ（公開時匿名）　30／サンリオ創業社長　31／著者は辻信太郎　32／音楽構成・阿久悠　33／虫プロで音響を担当　34／プロデューサー。『まんが日本昔ばなし』など　35／プロデューサー。アニメラマ3部作、『戦場のメリークリスマス』など　36／一般財団法人民主音楽協会　37／創価学会名誉会長

CHAPTER8

丸山正雄

まるやま・まさお

丸山正雄

1941年生まれ、宮城県出身。1965年、大学卒業後、『鉄腕アトム』制作中の虫プロダクションに入社。1972年マッドハウスを設立し、1980年に代表取締役社長に。テレビから劇場、OVAと数多くの作品をプロデュース（マッドハウス代表作＝テレビ『はじめの一歩』『花田少年史』『MONSTER』『電脳コイル』、劇場『幻魔大戦』『妖獣都市』『パーフェクトブルー』『メトロポリス』『時をかける少女』、OVA『ロードス島戦記』など）。2011年にMAPPAを設立、『坂道のアポロン』『うしおととら』『この世界の片隅に』などを制作。2016年には新会社スタジオM2を立ち上げる。2002年にアニメーション神戸特別賞、2003年に映画演劇文化協会が主催する藤本賞奨励賞を受賞。

プロデューサーの生態

――今日は朝早くからの取材で申し訳ないです！

丸山 いや、何時でも24時間どうでもいいんですよ。朝早く6時からの打ち合わせでも、夜中の12時から打ち合わせですって言われても、「はい」って。だから海外に行くとすごく楽なんだよね。時差とか、まったく関係ないんですよ。

――それは虫プロ時代に鍛えられたんですか？

丸山 その前ですね。虫プロに入る前、学生時代に「子ども調査研究所[註1]」っていうところに出入りしていたんですよ。まあ、ウロウロしててお手伝いして、お金をもらったりもらわなかったりしてた。それで、学校を卒業してからやることがないわけです。

――それがフリーター時代なんですね。

丸山 そう、なんにもやりたくないわけですよ（笑）。特にスーツを着てどっかに行くなんて考えられないんで。そこは要するに現代っ子を育てるって、佐野美津男さんとか阿部進[註2]さんとかが関わっていたところで、手塚治虫さんが理事だったんです。そこで「手塚さんが困ってるらしいから行ってこい」と言われて。

――虫プロがたいへんらしい、と。

丸山 まだアニメって言葉すら定着していない時代のことですから。ただ、虫プロって言われても、何もわかんないわけですよ。「手塚治虫さんがなんか人を欲しがってるから、おまえどうせフラフラしてるなら行ってこい」って、案内状もらって手塚さんとこに行くことになって。でもその前に、飯を食うためにアルバイトしなくちゃいけないから、草月アートセンター[註3]っていうところに行ったんですよ。和田誠[註4]さんとか、手塚さんもアニメーションをそこに出してて。そこのチケット売ったりすることをやってたんですよ。その頃、草月アートセンターの御曹司の勅使河原宏[註5]さんが映画を撮ってて、どっかロケに行ったりするときに、「おまえ行ってこい」って言われて。そうするとサードの下、助監督の下じゃないですか。ロケバスに乗って、弁当の手配とかいろんなことやって、ずっと起きてるわけですよ。

――とにかく寝ちゃいけない。

丸山　だから立ったまま寝るわけですよ。時間のあるときに寝るっていう癖はそこで相当訓練されて。虫プロの頃はおもしろくて寝なかっただけの話で。寝かせてもらえなかったわけじゃなくて。

――つらかったわけでもないんですね。

丸山　全然つらくなかったですね。寝てる暇がなかっただけって感じ。

――草月アートセンター時代よりも全然楽しい。

丸山　草月時代はつらかったですね、べつに好きでやってることじゃないから。手塚さんのとこに行ったら、好きでやってるから寝たいともあまり思わなかったんですよ。

――それだけ刺激的だった。

丸山　でも人間、ときどき眠くなるじゃないですか。

――当たり前ですよ（笑）。

丸山　そうすると、撮影っていうセクションがあって暗幕を張って真っ暗なんですよ。撮影監督に「おまえ少し寝ろ」って言われて、そこに押し込まれて寝るみたいな。だから、いつでも寝られるし、いつでも起きられるっていう、それだけの話なんですよね。

――丸山さんが寝ていると、手塚先生が何か言ってきたりもしたんですよね。

丸山　それは、暇なとき家に帰って寝るじゃないですか。先生は暇なときってないですから、「なんで寝てるんですか！」って来る。「いや先生、夜中の3時ですから」って言うと、「僕は起きてます！」って（笑）。でも「これをやってくれ」と頼まれるだけで、べつに怒られるっていう感じはなかった。りんたろうさんとか、皆そんな目に遭っているはずです。さっきまで機嫌よかったのに突然機嫌悪くなるとか、そういうことはいっぱいありますから、べつにどうってことない。

――最初は戸惑いますよね？

丸山　そうですね。若かったから、「このオヤジ殺してやろうか」と思いましたけど（笑）。

――ダハハハハ！　でも、それにも慣れてくる。

丸山　手塚さんだけと付き合ってるわけじゃないですから。僕は虫プロ時代に、もっとも優秀な助監督という評判を取ったんですよ。というのは、じつは何もしなかったの。

——……どういうことですか⁉

丸山　力のある人がいっぱいいるわけだから。監督職ってものすごく有能なんだから、僕みたいな新人のお兄ちゃんはいろいろやらずに監督職の人にやってもらったほうがいいんですよ。だから自分がやらなくちゃいけないことを、「なんとかやってください」って頼んでやってもらうんです。やってくれるかやってくれないかが勝負なんですよ。やってもらったら一番出来がいいし、一番早いんです。そして、それは俺がやったことになる（あっさりと）。

——ダハハハハ！　自分の功績になる（笑）。

丸山　だけど、実は仕事は何もしてない。帰りに一生懸命お汁粉を作ってみんなに配ったり、そういうことぐらい。

——そういうケアの能力が高いんですね（笑）。

丸山　そうそう、それだけの話なんですよ。

——ノーと言えない空気を作るのも上手いんだと思います。

丸山　これを言ったら絶対あいつやってくれるよな、みたいな。だから、いまやってることとあんまり変わらないんじゃないかな。

——やっぱり料理の能力が活きるんですね（丸山氏がスタジオで料理を振舞うのは業界では有名）。

丸山　そうですね。みんないろいろ言いますけど、僕はべつに料理がうまいわけでもないんですよ。瞬間的に作るとか、あるもので作るとか、手早いとか、それだけ。人生含めて要領はすべて悪いタイプなんですよ、それは自信があるんです。だから料理を作るのは……まあ、作るだけ。美味い不味いはどうでもいい、早く作る。いまでも食いもの屋に行って、吉野家とか、すぐ食べられるっていうのがものすごく好きで、あとは高くてもちゃんとしたものも好き。高くて不味いのは絶対許さんぞっていうだけで。僕が料理を作ってみんなに食わせるときは、絶対美味しく食わせる技術を持ってるわけですよ。とにかく待たせる。

――一番お腹が空いた状態にしてから出す（笑）。

丸山　「早くー！」って言っててもまだ食わせない。それで待たせて食わせたら、多少のことでも美味しく感じますよ。料理なんてそんなもの。最終的には食えればいいかな、みたいな。あと、子供時代は別ですけど「嫌いなものは食わなくていい、好きなものだけ食ってりゃいいんだよ」と。それで長生きしようと早死にしようと大きなお世話じゃないですか。仕事も似たようなもんですね、僕にとっては。

手塚治虫からの影響

――好きなことだけやればいい。

丸山　手塚さんのＤＮＡが染みついちゃってるんじゃないかと思うんだけど。手塚治虫がおもしろいのは、なんでもやるじゃないですか。すごい文化的な教養高いものをやってるくせに、平気でエッチもの描いたりする。かと思うと結構右寄りのもの描いたりするじゃないですか（笑）。なんでもいいんですよね。かといって漫画を描ければいいわけじゃなくて、おもしろくないといけないんですよ。手塚さんが描き出したときと晩年とは興味の対象がどんどん変わってきたし、そこんとこすごく素直というかストレートだと思うんですよ。僕の仕事もリストアップしてみたら、なんだよこの人はって自分で思うわけですよ。めちゃくちゃじゃないですか（笑）。

――方向性がバラバラすぎるんですよね（笑）。

丸山　昔、マッドハウスの時代に「マッドハウス的」っていう言葉を言われたことがあって。それってなあに？　と思うわけですよ。川尻（善昭）[註6]的なものはあきらかにあるし、それがマッドハウスを代表してた時期はあると思うんですけど、マッドハウス的っていうのは何を指していうのか俺にはさっぱりわからなかった。むしろ、なんでもいいやって。でも、どこかに手塚さん的発想というか、ＤＮＡをちょっともらってる、そんなことをもうキャリアの終わりに差し掛かって思うときはありますね。

――仕事量も手塚イズムな感じがしますよね。

丸山　そうですね、仕事量も。来たものはなんでもやれる限りやる。安くとも高くともあんまり関係ない。仕事がおもしろいとか、やってみたいからやるだけの話で。「あなたの仕事ならやるよ」とか、そういう傾向があるような気がします。

——手塚先生みたいに若い才能に嫉妬したりとかはしないんですか？

丸山　僕はそれは全然ないですね。尊敬したりうらやましがったりはするけど。なんとかお友達になりたいってすがりついていくところはある。

——できれば一緒に仕事できればっていう。

丸山　それだけで、作家さんに関してはあまり思わないですね。やっぱり同業者、このプロデューサーとクリエイターが仕事するんだって聞くと、嫉妬とは違うな、うらやましがる。「あいつとあいつ、あんなことやるんだ！　いいなあ！　良かったね」とか、逆にうれしくなっちゃう。嫉妬と反対かな。皿洗いに行きたいとか、便所掃除でもやらせてくれませんかとか言いたくなる（笑）。

——雑用程度でもいいから関わりたくなる（笑）。

丸山　「手一杯でそんなことできるわけねえじゃん！」って怒られるけど（笑）。

——そこがクリエイターとの違いというか、プロデューサー体質なんでしょうね。

丸山　それは絶対そうですね。クリエイターは、手塚さんの場合は自分を超えるものを許さんぞ、みたいな気持ちがちょっとあったけど。そのことに対してはすごく尊敬しましたね。大友克洋さんが出てきたとき、「僕は大友克洋になるんだ」って言うんですよ。

――「なるんだ」(笑)。

丸山　手塚さんがなんで大友克洋になるんだって、大友さんはその当時はまだ出てきたばっかりで、僕は大友克洋って名前すら知らないときで。

――その段階で、もうライバル視していたんですね。

丸山　その段階で「大友克洋になるんだ」って言うんですよ。このオヤジ、何言ってんのかなと思って大友さんのことを調べて、「お、すげえな」ってうれしくなるわけですよ。手塚治虫とは絶対に違うなって(笑)。ところが、しばらく経って手塚さんが「ほら、見てください!」って持ってくるわけですよ、「大友克洋のようでしょ?」って。でも、よく見るとあんまり変わらないいんですよ。

――そうなんですか!

丸山　「どこ見てるんですか!　ちゃんと見てください!」って怒られて。「ああ、そういえば背景が少し、前は窓だけだったのが窓にシャドウがついてるな」ぐらいの、ちょっと変えたことが自分の何かを思いきって変えたっていうふうに絶対思ってるんですよ。

――俺は大友タッチを取り入れたんだ!　って(笑)。

丸山　このオヤジすごいなって、そのとき思いましたね。ここじゃ満足できないっていうか。嫉妬しつつ挑戦していく。あの人はチャレンジしてるんですよ。

――ふつう、それくらい世代差があったらライバル心も抱かないですよね。

丸山　かなりあったと思いますよ。雑誌のトップを取るか取らないかっていうのは彼にとってものすごいことなんで。だからトップを取ってる人に関して、どうやって自分が奪い返せるかとか、それはものすごく考えてたんじゃないですかね。手塚さんといえば『鉄腕アトム』『ジャングル大帝』みたいな、どっちかっていうとPTA推薦的なイメージがあったじゃないですか。ある時期、残酷漫画というか、かなり血がダバーッと出たりする作品が出てきたとき、最初は結構否定してるんですよ、「こういうのを漫画でやるべきではない」とか。そんなこと絶対に思ってないはずなのに言うんですよね（笑）。

――ダハハハハ！　最初は批判するけれど……。

丸山　それが、そっちにどんどんいって、白土三平があれだけいっちゃったりすると、『どろろ』を描くんですよ。すごいと思うのは、ただの真似はしないんですよ。あくまでも手塚流にいろんな表現を取り入れていくんですね。もともと僕は手塚治虫ってよく知らないっていうか、『アトム』は嫌いっていうところから手塚さんのとこ行ってこいって言われて。

――面接で余計なこと言ったらしいじゃないですか。

丸山　「僕が好きなのはちばてつやや馬場のぼるです[註7]」って、あきらかに不興を買うようなことを言いました（笑）。手塚さんはなんとなく読んでないっていうだけで、その後はいろいろ読みましたけど。これはずっと主張したいと思ってることなんですけど、『ジャングル大帝』も『鉄腕アトム』もテレビアニメは手塚治虫作品じゃないんですよ。みんな手塚治虫が作ったと誤解してるだけ。テレビはたしか『アトム』の1話のコンテは切りましたけど、全体のテレビシリーズは虫プロの作品であって手塚治虫の作品ではない。手塚治虫原作でしかないんです。『ジャングル大帝』にいたっては手塚治虫は排除されていたんですよ。現場が「先生がやったら仕事が転がらないから」って。

——スケジュールが間に合わなくなりますよね。

丸山 だから「手塚先生、来ないでください」って言って、演出家たちが好きに作ったのが『ジャングル大帝』なんですよ。だから手塚治虫原作ではありますし、ディテールにもチョコチョコと手塚色はありますけど、アニメは手塚治虫作品ではないんです。『ジャンピング』[註8]（1984／ショートアニメーション6分）とか、よりちょっと主張したものとか、企画を発想したものとかはいっぱいありますよ。だけど、手塚治虫がホントにやったものがあるかっていうと、ほぼないですね。24時間テレビで企画[註9]もやって絵コンテも描いたのもありますけど、あれ最低です。

——スケジュールも間に合わなかったからクオリティ的には。

丸山 あれだけやらないでくれたら僕にとってはすごくいい人なんだけど。

——手塚先生が本気で関わるとああなっちゃうのかって感じですね。

丸山 時間的に絶対に、本気でかかることはできなかったんですけどね。それでも、御本人はあれでいいと思ってるところもちょっとあったりするわけですよ。それはアニメーションに対する考えが僕らと違ってたっていうのがあるとは思いますけど。現状のなかで何をやるかっていう発想がないから、現状を見れていないからああいう無茶になる。やりたかったことをホントにやるんだったら、あの状況であああいうことをやっちゃいけない、反面教師にするところはいっぱいあります。でも、僕も似たようなことをいっぱいやってますから（笑）。もちろんあんな大物ではないんですけど、DNAっていうのはホント感じますね。たとえばスタッフといろいろ話してると、「それ昨日と違う」とか言われて。それは僕が手塚さんにしょっちゅう思ってたんですよ、昨日と言っていること違うんですよ。

——手塚先生はそれを「成長だ」って言ってましたけどね。

丸山　大物っていえば、手塚さんもそうだし、トムス[註10]（エンタテインメント）の初代社長の藤岡豊[註11]さんもそうなんだけど、ホントはいい人なんだけど悪ぶってるのか、ホントは悪い人なんだけどいい子ぶってるだけなのか、その隙間がわからない。たぶんどっちもだと思うんだけど。いい人だなって思ってると突然すごいことやってくれるし、もうこんなのやってられるかって思ってると、そこで「マルさんおいで、焼肉食いに行きましょう」とか言ってきたりして、そういうところがうまいんですよ。

——それを学んじゃったんですか？

丸山　学んだ……見聞きしてるあいだに自分の血となり肉となってしまったんではないかと。だから、言うことがコロッコロ変わる。もうひとつは忘れることが多い（笑）。「え、そんなこと言ったっけ?」みたいなことが多いんですよ。本人は悪意のつもりは毛ほどもない。そこはいつの間にか手塚さんのいいとこだけ取ってくれればいいのに、かなり悪いところもいろいろ身についてしまったかな。

——手塚先生にもあきらかに悪意はなかったわけですね。

丸山　絶対にないですね。そのときに思ったことをストレートに言うだけ。たかだか入ったばっかりの坊やにまじめにものごとを言うこと自体がおかしいんですよ、手塚治虫ともあろうものが。

——漫画の神様が。

丸山　それはすごく勉強になった。言ってることが変わったとしても、神様に逆らっちゃいけないんだって感じましたよ。翌日に言ってることが違っても、そこから起きる混乱を考えたときに、「神様のおっしゃるとおり」ってやればすべてうまくいく。翌日またやられるかもしれないけど、そんな心配せずにそのときにやれることをやっていったほうがいろいろいってことか、『どろろ』の頃の話で、この人こういうことやっていくんだとか。ある種、自分のポリシー捨ててもウケるためにはというか……これ絶対にオフレコなんですけど、僕、手塚さんにソックリの人を、アニメ業界で知ってるんですよ(以下、諸事情により自粛)。ね、おんなじでしょ。

——なるほど!

当たるのは10年に1回

丸山　僕は来年で引退する、MAPPAでおしまいって2年前に言ったんですけど、でも（スタジオ）M2を作ってやってます。[註12] この世界を辞めるって言ってたのに、終わったらケロッとして次のことしてる。「今度でおしまいだから、どこもやってくれないからお願いします」って口説いて、嫌々付き合ってくれた人には「マルさんの死ぬ死ぬ詐欺に引っかかった」って言われました（笑）。まあ、おもしろきゃいいんですけどね。

――さっき「料理以外は要領が悪い」って言ってましたけど、意外と要領よさそうな感じがしますよ。

丸山　いや、絶対ダメですね。もの考えてないから。あんまりものを考えるの好きじゃないんですよ。夜、家に帰って寝るともう全部忘れてしまうんで。だから健康なんじゃないですかね。

――そっちのほうがプロデューサーには向いてるんですかね。

丸山　そんなことないんじゃないですかね。みんなを巻き込んで平気か平気じゃないかだけですよ。巻き込んで、結果いい方向にいけばいいんじゃない？　人を混乱させるのは結構おもしろい（笑）。「あ、こいつこうなるんだ」とか「ざまあみろ」とか、嫌なヤツにはね。いいヤツには、ちょっとかわいそうだからケアしようと思うし。

――作品が大成功すればいいですけど、なかなかそうもいかないわけですからね。

丸山　見事に全部失敗してますからね（あっさりと）。

——全部！

丸山　僕の場合、当たるのは10年に1回ですから。

——今回、『この世界の片隅に』[註13]が当たりましたけど。

丸山　その前が『時をかける少女』[註14]だから。10年に1本でしょう。

——これだけ作品を手掛けてそのペース！

丸山　ほとんど忘れてしまってますね。

——そこも引きずらない感じなんですか？

丸山　全然引きずらないです。

——いままで自分が関わった作品リストとか絶対に自分では書けないだろうなとは思ってたんですよ。

丸山　書けないし、まず観ることをしないですね。だいたい僕ら、1本作るときに100回ぐらい観るわけですよ、いろんな意味でチェックチェックチェックで、シナリオから考えたらたいへんなことになるわけで。観ると、こうすればよかったとか、こうしたいとか思っちゃうから、なるべく観ないようにしないと。忘れた頃に観ると、「お、なかなかいいじゃん！」と思ったりするんですけど。やっぱりそこはかわいい子だから。でも、できたばっかりのときは観たくないですね。誰かが言ってたんですけど、多分野坂昭如[註15]さんかな？　出来ちゃったものはウンコみたいなもんですよ（笑）。美味しいものをいっぱい食べて、あとはトイレに行って、そんなの見たくないじゃないですか。この食べた成分はどうのこうのとか。

──分析するよりも、すぐ流したい（笑）。

丸山　うん、すぐジャーッと流したい。わりとテーマはあるんですよ。「魅力のある欠陥商品を作りましょう」っていうのは言ってるんです。魅力があるようにどう直せるかって考えるんだけど、基本的には欠陥商品だと思ってるんですよ。やっぱりジブリさんのようなお金と状況があったら完璧な商品を作らないといけないですけど、その10分の1の金で「ジブリさんのようなものを作ってください」っていうオーダーがあるわけですよ。「こいつおかしいんじゃないの？」って。

──ダハハハハ！　無理ですよね（笑）。

丸山　そんなことどう考えたって無理じゃん。だから「ジブリさんのこういうことをやってください」とか、「こんな感じが欲しいんです」って言われれば努力しますけど、「ジブリさんのようにやってください」ってどう考えてもおかしいですよね。だから「何言ってんの？」ってやらないときもあるし、「わかりました！」ってやるときもある。そこはコロッコロ変わりますよね、状況によって、相手によって判断してます。

──やろうと思えばなんとなくはやれる。

丸山　なんとなくはごまかせる。

――そういう能力があるんですね。

丸山　そういう能力のある人と一緒にやる、そういう能力のない人は別の作品でやるとか、そこは多少選択するかもしれないです。要はなんでもおもしろいから。たまにね、これは絶対やりたくないっていうのはあります。大阪の出版会社、アニメとはまったく関係ないところが1億円用意します、と。

――悪くない条件ですよね。

丸山　1億円で映画を1本作る、悪くはないな、と。具体的なタイトルを言うと原作者がいるから言わないほうがいいんですけど、あるタイトルをやってくれって言われた。読んだらこれは絶対やりたくない内容で、やるべきじゃないと思った。でも、この業界はすごいから、当座のお金が1億円入るならパン食い競争みたいに誰でも食いつく。きっと誰かがやるに違いない、だから僕がやります、と。

――引き受けて作品の方向性を変えようっていう。

丸山　そう。それで中身を変えちゃった[註17]。あれは最初やりたくないからやった。他の人にやらせたくないから俺がやる。そういうのもたまにありますけど、あちこちで「これはおかしいから俺にやらせろ！」って言うほどの正義は持ってませんから。それ以外、要はなんでもいいんですよね。いい加減なんです（笑）。

――プロデューサーといえば、虫プロ時代に西崎義展さんと接点はあったんですか？

丸山　まったくないですね。というのは、僕は手塚党ですから、手塚さんが嫌だって人に尻尾を振ることは絶対やらないですね。じつは『宇宙戦艦ヤマト』の立派な企画書をマッド（ハウス）に持ってこられたことがあるんですよ。それ見て、（山本）暎一さんのスタイルでならやりたいなと思ったんですけど、「プロデューサー西崎」って見て、「できません」と最初に断った。

――その時点でアウト。

丸山　その後もいろいろあって、もう一回やるっていうときに「どうですか？」って言われたんですけど、「僕はちょっとできません」って断ったことはあります。手塚さんにやれって言われたらどんなものでもやったと思うんだけど、手塚さんといろいろあった人はなるべく遠巻きにしたいっていう。それじゃなくてもいいスタジオはいっぱいあるんだから、どっかの会社がおやりになればいいんじゃないですか、僕じゃないほうがいいんじゃないですかって。なんでもやると言いながら嘘つきなんですよ、結局は（笑）。

――とにかく手塚先生が第一だったんですね。

丸山　絶対そうですね。この歳になってわかる悔しい思いっていっぱいありますよ。もうちょっとこうすればよかったとか、手塚さんと上手に付き合いたかったとか。「先生、アニメには手を出さないでください」とか（笑）。

――それはみんな言いたかったと思いますけどね（笑）。

丸山　いまだったら言えるけど、あの当時はとてもできるわけないですから。『メトロポリス』[註18]っていう映画はそういう意味でやりたかったことですね。手塚さんの初期の『アトム』前の昔の絵で。それから、手塚さんなら絶対3Dをやりたかったはずなんですよ、新しい技術は絶対やりたいと思うはずだから。そういう意味ではいっぱいやったなかでどれか1本選べっていわれたら、そんなことできるわけないんだけど、心に残ってるのは、りんたろうさん監督で、大友さんに脚本を書いてもらって、キャラクターを名倉（靖博[註19]）君に描いてもらって、自分なりに納得したものとして『メトロポリス』はありますけどね。

『あしたのジョー』から始まった

――丸山さん、『あしたのジョー』もやられてたじゃないですか。あのときって手塚先生は『あしたのジョー』をどういうふうに見てたんですか？

丸山　まったくノータッチですね。むしろすごく不愉快だったんじゃないですか？

――梶原一騎に対する複雑な感情を持ってた人ですからね。

丸山　そういうこともあるし、ちばさんに対してはむしろ、すごい親しみと同時にうらやましい、やっかみみたいな。あの人、自分にできないことを認めたとき、知らんぷりするんですよね。きっとちばさんに対してシンパシーを持ちつつも違う部分があったんじゃないか、と。僕はちばてつやのファンだって最初から公言してるし、そういう意味では僕が『あしたのジョー』をやるのを止めはしませんから。呼ばれて、「なんで『あしたのジョー』なんですか？」ってことは聞かれましたけど。「ちば先生は富士見台に住んでらっしゃって、家はすごく近くていいと思います」って言ったら笑ってました。

――家のことは聞いてないですよ（笑）。

丸山　「まあ、好きにやれや」ってことでしょうね、きっと。

――虫プロがたいへんな時期に『あしたのジョー』がヒットしていくのも、手塚先生としてはどんな思いだったんですかね。

丸山　それは自分がどうのこうのと同時に、虫プロがよければいいっていうのは常にありましたからね。そこで嫉妬したりどうのこうのは絶対しないですから、それはそれでよかったんじゃないですか？　と言ってくれてるんだろうなと思ってます。

――直接何か言われたことはなかった。

丸山　ないですね、一切。知らんぷりしてましたから。「え、虫プロでやってるんですか？」とか平気で言いますから。

――ダハハハハ！　梶原先生とはお付き合いされたんですか？

丸山　全然話してないですね。『あしたのジョー』の頃、僕は完全にちばさん側だから。それが『あしたのジョー2』で、俺にとっては生涯一緒にやりたかった出﨑統[註20]と会社を分ける原因になったんですけど……。『ジョー2』をトムスのほうで企画されたときに、『あしたのジョー』は絶対にほかの人にやらせたくないって出﨑は思って、杉野昭夫[註21]とあんなぷるって[註22]会社を作ったんですね。というのは、僕が「絶対『2』はやらない、あれは『1』だけでいいんだ」と言ってたから。だけど、講談社と梶原さんがそれを許さなかったんですね。ただ『2』のほうがアニメーションのクオリティとしては全然上ですよ。

——すごい作品ですよね。

丸山　全然すごいですよね。やっぱり出﨑・杉野のすごさですけど。でも、話がおもしろくない（キッパリ）。

——えー！

丸山　アニメーションは絵がよければいいってもんじゃない。『1』はアニメーションとしては最低ですよ、どっちかっていうと。まだ試行錯誤で、最初のパイロット版を作ったときに、ちばてつやの絵が手塚アトムみたいな絵で上がってきて。当時のプロダクションは能力的にそうですから。これはダメだっていうんで、ジャガードという荒木（伸吾）[註23]さんと斎藤（博）[註24]さんのところに杉野を連れてって、もっと劇画タッチでやれということを……要するに虫プロでやらないぐらいの覚悟で、虫プロから外れた場所に若い人を集めてやったんですね。絵のクオリティでいったら相当乱れてるんですけど、ある種のエネルギー、虫プロじゃないものを作っていこうというのはあったんですよ。後半、力石のくだりは統ちゃんも杉野も、次につながる力を持ってやりましたから。梶原さんとはそういう関係で、大泉学園の梶原さんの家に原稿を取りによく行ったんですよ。自宅でありながらオートドアの（笑）。でもべつに原稿取りであって、個人的な感情とかは一切なかった。僕、偉そうな人は好きじゃないから、あんまり梶原さんとは……。

――ちば先生ぐらい気さくなほうがいい。

丸山　ちばさんのとこは「来るな」って言われても行っちゃう（笑）。「おまえ、いつの間にいるんだ」とかよく言われて、あと寝転がってたりとかしてました。梶原さんのとこではそんなことはなかったですね。

――出崎さんとそうやって別れちゃったことを悔やんでる部分はあるんですか？

丸山　いや全然（あっさりと）。統ちゃんは統ちゃんのその後の作品も生き方もあるし。ただ最後の最後に彼が癌になったことがわかって、僕とりんたろうに報告に来て。彼はスタイリストなんで治療はしたくない、と。髪の毛が抜けたりなんかするのが嫌だって言ったときに、「統ちゃん、それ治療すればなんとかなるかもしれない。やってみるべきではないか」っていうことを言って。ちょうど『ウルトラヴァイオレット：コード044』[註25]っていう企画があったんですよ。別れてから1回も一緒に仕事してない、ときどき「助けてよ」って言われたんだけど、「嫌だよ」って断っていて（笑）。

――そういう関係は続いてたんですね。

丸山　仕事ではまったくなかった。全面的にやるならいいけど、「ちょっとこれ手伝ってよ」っていうのは、「それは違うよ、いまやってるところでやるべきだよ」ってことで、なまじっか中途半端な手伝いはしたくなかったんですよ。でも、その『ウルトラヴァイオレット』がちょうどあったんで、「それじゃ、これ最後だからやって」って言ったら、「やるよ」って言ってくれて。ただ僕に力がなくて彼の満足するようにできなかったと思うんですよ。だから、もうちょっとやりたかったんじゃないですかね。やっぱりやりたいと思うことがあると、命ってそこで終わりにならないっていうのはあるんじゃないかな。

——ああ、なるほど……。

丸山　だから『ウルトラヴァイオレット』でやれなかったぶんを、もうちょっと何かやりたいと思って、ちょうどフジテレビから『源氏物語（千年紀 Ｇｅｎ・ｊ・ｉ）[註26]』の企画がきて、手塚プロさんがやってくれて、それが最後の作品になるんですけど。あれは『ウルトラヴァイオレット』がなかったらやらなかったんじゃないかな。そういう感じがします。

——出﨑さんは本当にカッコよかったですよね。

丸山　スタイリストですからね。ボウリングでもゴルフでも癖玉で、直球がないんですよ。あの人も、ほかの作品を一切認めないんです、「俺が上だ」って思ってる。仲のいい友達も数人いたんだけど、アニメーション的には師匠であるはずの……本人は「師匠じゃないと思ってる」って言い張ってますけど、客観的に見るとどう考えても師匠のはずの杉井ギサブローも認めない。「俺が上」（笑）。

――いつでも格好いいのは自分の作品（笑）。

丸山　そんな人が亡くなる4年ぐらい前かな、突然電話かかってきて、文化庁かなんかの評価する委員になって観たらしいんだけど、「『時をかける少女』の細田守がおもしろい」って。他人の作品をおもしろいって言うことにビックリしたことがあるの。この人なんかおかしいんじゃないかってすごい不安になって、その数年後それがホントになっちゃうんだけど。他人のものを観ておもしろいっていうのは前向きなのかうしろ向きなのかどっちかだろうな、と。要するに、何か刺激を受けたのか、これはもう任せようと思ったのか、そこはいまだに謎なんだけど、それ1回だけですよ。あとは自分のこれがおもしろいとか、これがいいとか。それはホントにナルシシストですから。

――丸山さんの仕事を初めて誉めてくれたぐらいの感じだったんですか。

丸山　そうですね、それだけで泣けちゃいます。

――もともと出崎さんとはどういう関係だったんですか？

丸山　ただの麻雀仲間です（あっさりと）。彼はホントの女の子好きで、20代の女の子見ると追っかけ回してたから。

――昔からそんな感じだったんですか。

丸山　昔からそうです。

――晩年まで若い子にモテてましたよね。

丸山　そうです。そういう意味じゃ立派ですね。あと思い出深いのは『あしたのジョー』のとき、虫プロで『あしたのジョー』やるなんて考えられなかったですから。僕はその頃、企画室にいたんですよ。で、統ちゃんが来て、「これいいよな」って言い出して。たぶん僕の好きなツボと彼のツボがときどきピコーンと合うんですよ。それで「これいいよな」「いいよねえ！」みたいになって、「ちょっとパイロット作っちゃおうか」。虫プロっていい加減な会社で、勝手にやれちゃうんです。

――許可とか取る前に、まず作ってみる。

丸山　そういうの関係なく撮影監督がいれば撮ってくれるわけです。僕は監督好きだから、撮影監督とか美術監督とか作画監督とか、だいたいそういう人を好きになったり友達になるわけですよ。「撮影監督に持ち込んだらやってくれるから撮っちゃおうよ」って言って、絵を描く人いねえよなって、出﨑さんが全部原作を拡大コピーして、それでフィルムつないで作ったんですよ。それをフジテレビの別所（孝治）[註27]さんって人が観て、「いいじゃない、ちゃんとアニメーションで作ろう」ってことで会社に上げてくれたんですよ。もうその短いパイロットフィルム、どこを探してもないんですけど。『あしたのジョー』が終わってもう1本、『国松さまのお通りだい』[註28]を会社のなかでやって。それは統ちゃんはゲストで、中心でやったわけじゃなくて。その頃、東京ムービーのアルバイトを僕も統ちゃんも結構やってたんです。で、『国松さま』を撮ったとき、虫プロはもうダメらしい、と。

――それはもうお金が止まったりしてきたわけですか？

丸山　かなりそういう状況になって、これはなんとかしなくちゃいけない。『あしたのジョー』と『国松さま』って同じグループなんですよ。作画の人とかはほとんど、杉野中心のグループでやってて、ほぼ虫プロ本社にいたことがない人なんですよ。常に虫プロの外回りの、エリートグループから外れてたんです。それで虫プロがどうもダメらしいってなって。岸本（吉切[註29]）さんが東北新社と組んで創映社（のちのサンライズ）という会社を作って、岸本さんから「マル、おまえ来いよ」って言われてたんだけど、そこはプロデューサーだけが集まる、現場がない会社だったですよ。虫プロは現場を持って相当ひどいことになったんで。

――まずは人件費を削ろうと。

丸山　そのとき石神井スタジオに杉野とか、要するにプロダクションひとつ、フィルム作れるぐらいの規模でいて。「俺ひとりだけそっち行って連中はどうするんだい？」と思ったときに、統ちゃんと「困ったね、どうにかしなきゃね」って言って、東京ムービーの藤岡豊さんに「プロダクションひとつあるんだけどどう？」って売り込んで。藤岡さんはすごく出﨑さんを買ってたんで、「じゃあスタジオごと阿佐ヶ谷に来い。仕事あげるから」って約束をして、それがマッドハウスの始まりなんですね。だから全部グループで仕事するのが建前のマッドハウスと、ある種、企画とプロデューサーが転がすサンライズの元の創映新社っていうのと、そこでハッキリ傾向もスタイルも変わってることになるわけですね。でも俺たちはいい加減で、サンライズの1本目の『ハゼドン』[註30]って、あれ僕がやってるんですよ。

——あ、そうなんですか。

丸山　「ギャグものだし、マルちゃんと統ちゃんでやって」って言われて、「オッケーオッケー！」なんて言って。あそこの1本目の作品は僕が設定やって出﨑が監督やって。統ちゃんはワンクールで「俺じゃねえ」とか言って逃げたんだけど（笑）。みんな忘れてしまってる話だと思うんだけど。その後、富野（由悠季）さんとロボットものの方向にいって、いまのサンライズになったんですね。

——ある時期、角川映画[註31]も結構作られてたじゃないですか。

丸山　角川さんに関しては（角川）春樹[註32]さんが好きですね、基本的に。春樹さんの言うことだったらいまでもどこでもなんでも全然OKです。悪いことでもやりますよ。

——ダハハハハ！　それぐらいの心意気（笑）。

丸山　ええ、そうですね。角川映画でアニメをやってみたいってことで『幻魔大戦』をやることになって。あれは『幻魔大戦』ってタイトルだけがあって、りんたろうっていうおもしろい名前のヤツがいるっていうことで東映か青二[註33]の前の社長に「りんたろうってどういうヤツ？」みたいな話があって。例によって春樹さんのひらめきだと思うんですけど。

——そんな理由だったんですか！

丸山　だから、りんたろうに「『幻魔大戦』やらないか？」って、それが春樹さんの発想だったんですよ。で、りんたろうが「キャラデザインは大友克洋」って言い出したんですよ。「え、この絵？　誰か描ける人いるの？　こんな汚い絵でアニメーションやれるの？」って言ったら、りんたろうが「やれる。やろうよ」って言うから、春樹さんのとこ行って「これからはこういう時代なんで」って嘘八百並べて。春樹さんが「大丈夫か？」って少しは心配したんだけど、「まあやれや」と。現場に入って大友さんのそばに行って、「ベガとか他のキャラは素晴らしいけど、ルナ姫もっとかわいくならない？　きれいなおべべ着て、ひたすらチャーミングで、若い男が『うーんかわいい！』っていうのを描いて」って言うと、「俺はかわいい顔は描けねえ！こうだ！」とか言われて。

――確かに、かわいくはなかったです（笑）。

丸山　3カ月ぐらい粘って、「かわいくかわいく」ってずっとそればっかり言って嫌われて（笑）。で、りんたろうさんが「マル、これでいいことにしようよ。大友君がかわいそうだよ」って言い出して。僕は監督の言うことはきかなくちゃいけない立場だから、「わかった」って。

――そんなに闘ってたんですね。

丸山　春樹さんだから昔のものを壊していくっていうか、新しいものを動画はもちろん、音楽も含めて、要するにりんたろうがやりたいことをやらせてくれた、いちいちグズグズ言わなかった。むしろかなり任せてくれたっていうのはアニメーションの過渡期において大きかったです。50年やってるといろいろあるわけですけど、最初は子供のアニメーションみたいなものだったのが、少なくとも子供は切っても大丈夫だよねっていうきっかけになった。まだ『ヤマト』とか『999』では足が抜けきれなかったけれど、ハッキリそっちは抜いちゃっても平気みたいなことは春樹さんだからできたんじゃないかなと思ってるんですよ。その後何本かやって、実験作だったり、僕ら自身が失敗したと思ってるものもいっぱいあるけど、アニメーションの歴史として角川映画っていうか春樹さんっていうのは抜いちゃいけないんじゃないかとすら僕は思ってます。

――すごくわかります。

丸山　いまだったら軽く超えられますけど、当時としてはやっぱり、この絵をここまでよく頑張ったなって。『あしたのジョー』もそうなんですけど、あの衝撃というか、壁をぶち抜いていくときのエネルギーは、出﨑やりんたろうにしかできなかったと思うんですよ。そのとき一緒にいられたっていうのはホントにラッキーですよね。僕は幸運を拾ってるだけの話で、片渕（須直）[註34]もそうだし細田もそうなんですけど、単純に幸運を拾う役をして。

――いいタイミングで（笑）。

丸山　いいタイミングでいい役をやらせてもらってるっていうことで（笑）。

『この世界の片隅に』が出来て

丸山　片渕もじつは20年ぐらい前からの関わりで。僕らじゃない虫プロ、倒産したあと虫プロって管理会社になったんですよ。組合が残って、組合活動の一環としてアニメーションを作ってて。ちょっと左翼系の映画を中心に短いものを撮ろうっていうサークル運動的な。映画館じゃなくて公民館とかそういうところ用の映画をいっぱいやってて……そういうのは思いのほうが先で技術があとになってしまって、だいたいダメなんですけど、このまぐれ当たりはいったいなんなんだろうと思ったのが『うしろの正面だあれ』[註35]っていう映画なんですよ。

——それだけは何かが違ったんですね。

丸山　気になるから観たら、すごくいいんですよね。なんであのスタッフでこんな突然いいのができるんだ、絶対おかしいと思っていろいろ調べて。スタッフロールに「片渕須直」っていう見慣れない字が書いてあったんですよ。ほかはみんな知ってる人で、この人が作ったらこんな映画になるってだいたい想定できるんですけど、この映画が俺の琴線に触れたのは違う人がいるからだと思ったら、片渕須直って書いてあったんで、即「片渕君、一緒に仕事しよう」と。

——早いですねえ！

丸山　即ですね。で、『カードキャプターさくら』[註36]とか、『あずきちゃん』[註37]とかコンテを切ってもらったら、かなり優秀で。彼は『マイマイ新子と千年の魔法』[註38]とか『この世界』と基本的には変わらないんです、最初から優秀です。『あずきちゃん』も『さくら』も、もちろん原作に沿って、作品をちゃんと理解してやってくれるし、やっぱり早いしうまい。で、『ＢＬＡＣＫ　ＬＡＧＯＯＮ』[註39]を任せて。彼はオタクですから、戦記ものは特にうまい。

——そっちの人ですからね。

丸山　要するに銃がいっぱい出てくる、人がいっぱい死ぬ、戦争ってそんなものだよっていう話をやろうぜってことで『ＢＬＡＣＫ　ＬＡＧＯＯＮ』やってもらって。評判もよかったし、彼もそこそこやれることをやったっていうなかで、ホントに一番やりたいものは何かって聞いたら、『うしろの正面だあれ』みたいなヤツっていうことで『マイマイ新子』があって。『マイマイ新子』が終わったとき、なかなか商売的に成功しなかったんですけど、終わったあと彼が全部フィルムを、地震があったし大事だと思って捨てきれなくて、あちこちにフィルムを持って100人、200人規模の小さい小屋で上映し続けたんですね。結果的に1年ぐらいのロングラン。そのときにちょっと驚いたことがあって。どこに行っても来るヤツがいるんですよ。

——何回観てもいいっていう。

丸山　何回観てもいいし、その作品をずっと語ってたい、みたいな。この熱ってなんだろうなと思ったんですよ。そういう連中と集まってときどき飲み会やったり、いまでいう聖地めぐり、『マイマイ新子』の街を歩こうとかってイベントを自分らで考えてるヤツがいたり、全然違うところでやってるときに自分らが缶バッジを作って配るヤツがいたりして。『新子』を支える連中ってこれなんだと思って。こういうことでやりたいものと観たいものがひとつになることってありえるのかな、あったらいいなって。で、次にもう一回何かやろうっていうときに、さべあのま[註40]さんとかこうの史代[註41]さんとか、漫画家さんとか作家さんが評価してくれたのと、あとは若いお兄ちゃんが「次、こうの史代さんの『この世界の片隅に』っていうのがあるんだけど、それをやってくれませんか?」っていうことで、片渕がそれを読んで、「これいいね」って言い出して。あとは、それをどうやって広げていけるかっていうのが僕の仕事……ただ、あの時点では片渕に映画を作る金は集まりません。でも、彼らがいるから何かできるかもしれないと思ったし、いろんなものが全部重なってここへきてるんです。だから当然時間がかかった。お金がなかったのが最大なんですけど(笑)。というのは、その当時4年ぐらいは全部片渕に給料あげてませんから。

――相当お金がなかったって話でしたからね。

丸山　彼は学校の先生やったり、自動車会社の宣伝映画を作ったり、僕があちこちから持ってくる細かい仕事をチョコチョコこなして現場をちょっと動かしただけで。それに……(諸事情により省略)。だから今回、一番戸惑ってるのは僕だと思います。あんまり外に出たくないんですね、『この世界』を作りましたって言いたくないんです。

――「これは僕の作品です」みたいなことは。

丸山　絶対に嫌ですね、あれは片渕の作品だし、興行をここまで持ってきたプロデューサーの真木（太郎）[註42]さん。僕はたまたま企画を立ち上げただけの人。これでもし興行的に失敗したらプロデューサーを連名にしてもらって責任取る形になりますけど。『この世界』を作らせてもらうために、音楽もどこもやってくれなくて、どこからも金が出てこなくて。これもオフレコですけど……（諸事情により省略）たっぷりぶちまけてしまいました。吉田さんこれどうまとめるんだろうね。おもしろいとこ全部オフレコだから（笑）。

——ビジネスとしてはほとんど失敗しているって言われてましたけど、こうやってたまにヒットするときってどういう感情なんですか？　してやったりとか？

丸山　いや全然。もちろん片渕の努力と、片渕のいろんな力。そして、それを支えてくれた人、彼をがんばらせてくれた人たちの力。公開が終わっても彼は毎日劇場通いしてるんですよ。終わったあと、「サインください」って言われたらひとりひとりと全部話をして、「ウチのお父さんが広島にいたんです」とかっていうのを聞いて、全部それやってるんですよ。そういう力っていうか、自分の作品に対する責任を含めて片渕のすごさだと思います。当たり方がふつうの作品と違うのは当然だと思います。今だから言えますけど、それでも僕は途中3回ぐらい、「もうできないかもしれない」って彼に言ったことあります。

——物理的に考えて無理じゃないか、と。

丸山　ただ、俺ができないって言っても、彼は10年かかってでもやることはわかってましたから、できないと言いつつもやるしかないわけですよね。そういうところでブレない人だから、何かやりながらでもやる。これをあきらめて次の仕事にいくっていうことを彼は絶対に考えないっていうのはわかってたから、ギリギリのところで踏みとどまってはいたんですけど。僕にとってクラウドファンディングが一番大きかったのは、彼は作品のためには僕ひとりは裏切ると思うんですよ。「丸山を騙したり裏切ったりすることはできる？」って言ったら「できません」とか言ってたけど、それくらいはやりかねない男ですから。いいヤツって必ず悪いですから。

——なるほど（笑）。

丸山　でも、それをやらなかったのは、最後はクラウドファンディングの3000人を裏切れますかっていうことですよね。俺ひとりを裏切るのは屁でもないだろうけど、3000人みんなに「できない」って言って3000人が納得しますかっていうことになると、それはどこかをあきらめるしかない。睡眠を30分削る、真木さんは「4億の企画を一定額に抑えられるなら責任持つよ」って言ってくれたんです。だから決まった金額で作らないといけないんですよ。それを超えたらこれできないんです、と。実際超えたんですけど（笑）。超えたぶんはMAPPAの赤字になって。じつはマッドハウスってウン億の赤字を作って、日本テレビが買ってくれたんで、僕はゼロからMAPPAをやったんですよ。4年間MAPPAやったらゼロからやれば黒字になるでしょ、やり方によっては。赤字を出す名人だと自分では思ってますけど、マッド時代は生命保険が2億円あって、2億円ぐらいの赤字はいつでも大丈夫だって。

——死ねばなんとかなる（笑）。

丸山　首くくりゃいいやと思って。でも、赤字って2億になるとあっという間に5億になって10億になっちゃうんですよね。まあ、赤字は当たり前。ただ苦しいと思ったことは1回もないんですよ。というのは、マッドハウスは仕事がいっぱいあったから典型的な自転車操業で、赤字だって平気なんですよ、次の仕事をぶち込めばいいだけの話だから。ただその量が多くなっちゃったから苦しくなって、そのたびに赤字が増えていくだけの話なんですけど。

——完全に手塚先生の遺伝子ですね（笑）。

丸山　そういうことだったんでマッドハウスをウン億で買ってもらったけど、会社っていうのは会社名義のと僕個人名義のものといろいろあるわけですね。僕個人名義の借金っていうのもウン億近くはあったわけです。それは会社を買う側にすれば、「これはあなた個人の名義だから、それを払う必要ありません。会社のものは全部買います」と。俺が出たいって言ったもんですから、「じゃあ、これ持って出るなら認めますよ」って話で、「わかりました」って借金を持って出た。ふつう会社売ったときって自分に金が入ってくるじゃないですか。僕は借金を持って出たんですよ。

——うわー！

丸山　それも4年かかって払い終わったんで問題ないんですけど。MAPPAは会社そのものはゼロで始まったんで、4年やったら黒字になったんですよ、若い優秀なプロデューサーがいるんで。ただ、これからは俺はいままでのように徹夜はできない、と。もの作るのに徹夜するのは虫プロ時代から屁でもないこと。これもオフレコで……（諸事情により省略）30代のときは徹夜って屁でもないんですよ。やっぱり75ですから（笑）。

――さすがに（笑）。

丸山　これはさすがに。というのは3年前に脳梗塞して、そこから先は考え方を変えないといけないなと思って。僕は今度、真木さんに対しては、誰も手を出さなかった『この世界』を拾ってもらった恩義っていうのを忘れちゃいけない。

――なるほど。

丸山　僕的にはでき上がったことがすべてで。映画っていうのは作った以上、ひとりでも多くの人に観てほしい。自分のなかで作っただけで気持ちよくなってっていうのは坊やの時代の話で、プロになってからはそれじゃいけない、ひとりでも多くの人に観てもらう努力をすべきだし、宣伝もすべきだし、そういうことはいとわないし、ましてやそれをダメって言うわけがない。ひとりでも多くの人に観てもらって映画興行にお金が入ってくるのは全然正しいこと。ただ、そういう経験がないだけ（笑）。

まだまだ続くプロデューサー稼業

――金儲けの発想が抜け落ちてますよ！

丸山　フィルム作るときの最大の目的は、やっぱりお金儲けですよ、プロであるから。作った人みんなに配分できたら、そんないいことはないと思う。みんなでどっか旅行できたり美味しいもの食べられたら、それがベストなんです。ただ、これはほとんどない、ありえないぐらいのことだと思うんです。今回みたいな間違いがあっても。

――間違いなんですか（笑）。

丸山　間違いです、これ。それがないこと前提なんですよね。でも、多くの人に観てもらいたいことはたしか。ただ、何か残したい、10年後でも観られる映画にしたい。監督とか作画監督でも音楽でもなんでもいいけど、それをやったことによって次につながっていくことにしたい。だからそいつのやりたいようにやらせたい、ダメなときはダメだって言いたい、それはすごくありますね。そこだけは一緒にやる以上は自分の責任だと思ってるし、やりたいことをどうやってやらせるか、『この世界』もたいへんだったんですよ。ここから先越えたらあきらかに赤字になる分岐点があったんですよ。そのとき片渕は「声の主役は決められません」と。オーディションで何人もやって、一応これだったら売れるかなっていうのも含めて何人もやっても、全部「違う、違う」と。っていうのは、最初から彼の頭のなかには能年玲奈[註43]しかないんですよ。

「あんたの脳みそ能年ね」っていうぐらい能年しかないんですよ。何を決めても「違う」。要するに「能年の声とは違う」。

——当たり前ですよ（笑）。

丸山　ところが能年君っていうのは事務所の問題で交渉もできなかったんですよ。交渉するとむしろ使えなくなる。だから、ひたすら待たないといけないわけ。その間にお金が尽きたんですよ。ここから先は待っているだけで赤字になる。でも主役は決められない。だからほかの人はどんどん録りだして、すずさんのところは最後まで声が入ってなかったんですよ。最後の最後に、「これ以上能年を待ったら金が出ないから能年じゃない人でやりましょう。この3人のうち誰かひとり選びなさい」って3人に絞って片渕に提出したけど「3人とも気に入らない」と。

——うわー。プロデューサーとしては困る瞬間ですよね。

丸山　で、真木さんに泣きついたら、真木さんのラインで「能年イケそうだ」ってことになって、もう片渕はすっかり喜んじゃって、粘り勝ちですよね。僕はもうシュンとなって。ここから先、毎日毎日金が出ていくんだ、と。

——たいへんですねえ（笑）。

丸山　ヒットするなら制作委員を持ってくるんですけど、ヒットするわけないから、これはMAPPAが責任を持たなきゃいけないわけですよ。赤字いくらになるのかな、毎日毎日1万円札が何枚もひらひらと飛んでいくと思って。でも結果、能年君で……。

——大正解でしたね。

丸山　もともと僕は、あまロスだった人で、片渕と一緒で『あまちゃん』[註44]ファンなんですよ。能年君が嫌なわけじゃないんですよ。ただ状況的に、金額的に、いろんなことで能年でやるのは絶対マズかったわけです。それでも片渕は「能年じゃないとダメです」と。結果こうなってますから。片渕の粘り勝ち、のんちゃんの力、段取ってくれた真木さんの力で、僕じゃないところですべて成功してるわけで。

——ひとりだけ翻弄され続けた感じで（笑）。

丸山　でも、のんちゃんファンだし、のんちゃんと一緒に写真撮れたし、うれしくてしょうがないんだけど（笑）。でも、経過を言ったら俺だけひとり反対してたことになるわけで、きっと片渕は「裏切者！」と思ってますよ（笑）。今日は裏話大会っていうことで原稿にできないことが多すぎるなあ。

——ギリギリまで載せますけどね（笑）。

丸山　書かれると俺自身がヤバい。だから最初から僕はヤバい商売なんですよ。僕、原則は表に出ないんです。こういうインタビューはほとんど受けない。

——それは書けないことが多いからってことなんですか？

丸山　言いたくもないことだし、それからやっぱり作品っていうのは今回は片渕だし、『時かけ』は細田だし、『ジョー』は出﨑だし、そういう人が表に出てやるべきで、べつにこんなジジイがチョコッと出てなんか裏話してもしょうがねえよなって。おもしろがる人におもしろいこと話すのはべつに構わないんですけど、おもしろいと思うのはコアな人たちだけで、ふつうの本とかはそんなこと載せるべきでもないし、やるべきでもないと思ってるから。ましてや舞台挨拶なんていうのはいい加減にしてくれ、みたいな。出ろって言われたら出ますし、片渕の代わりに行きますし、ひとりでも多くの人に観てほしいけど、僕が出たからひとり増えるってもんでもないと思ってるから、そういうことはあんまりやりたくないし、出ないようにしてるのは事実です。

――前に「夢はお金儲け」みたいなこと言われてましたけど、お金への執着は一切感じないですよね。

丸山　皆でおいしいものを食べるくらいのお金はほしいですけどね。赤字を作るのはべつに屁でもない。だって次の仕事やればいいんだもん。ちゃんと仕事で作って返せばいいんで。だから僕、グッズ作ったりするのは嫌なんですよ。誰かがやるぶんにはどうぞだけど、アニメを作ってるのになんでキャラクター商品で稼がないといけないんだって。実は『鉄腕アトム』から手塚さんがやってたことなんだけど、あれ手塚さんがやってたわけじゃないから。基本的にグッズとかは人がやるぶんにはいいんだけど。

――自分がやるべきではない。

丸山　やるべきじゃないっていうか、面倒くさいじゃないですか。誰かが印刷して誰かが販売してくれて、それは構わないんだけど、自分がやる気は千にひとつもないですね。アニメーションでグッズ売るのはアニメの堕落だと思ってます。そうやってだんだんつまんないものいっぱい作ってるんじゃないかと。

――プロデューサーっていう商売で、この商売っ気のなさって、どうなんですかね（笑）。

丸山　でも、ひとりでも多くに観てほしいから、結局は金はほしいわけですよ。その金があったら次作れるんじゃないかとか、そこはありますけど。商売っていう感覚はたぶん……だから手塚さんもそうですよ。マッドハウスって結局赤字を出して、立派な会社に買ってもらったときから、失敗だと思うんですよ。失敗だと思わないといけない。で、MAPPAを作って、M2はまだ発展途上。少なくともいまのところは赤字で潰れることはないですから。じつはここ、現場を持ってないんですよ。まず脚本の開発と絵コンテ、美術ボードまで。要するにパイロットまでしかやらないんです。パイロットができて、「誰かこれやってください」って言って現場を探してそこで作る。だからお金もなるべくいっぱい使って（笑）。「これを作るんだったら、そのへんのテレビシリーズのお金じゃできないですから、このくらい使っちゃいました。これでよかったらお金ください」って。できればそうしたいなと思ってるんですよ。「これくらいのお金かかってもいい人は集まってください」って。集まらなかったらどうすんだって話だけど（笑）。そのときは首くくって死ぬしかないかなとか、どうやって逃げようかなとか。

――ダハハハハ！　まだそういう心境なんですね（笑）。

丸山　もちろん。絶対成功するって100パーセントはないですから。まあ最後の仕事ですからね、75歳で3年前に脳梗塞やって、これからもずっと頑張りますなんて、それ死んでも言えないですから（笑）。いつ死んでも構わない。少なくともパイロット作っておけば、次の有能なプロデューサーたちが、お金と時間さえあればやってくれるんですよ。そのまんまはできないかもしれないけど、それに向かう努力をしてくれる人はいると思うんで。やりたいことをやる、人の言うことときかない（笑）。

――今後も死ぬ死ぬ詐欺をやりながら続けていく（笑）。

丸山　そういうことです（笑）。

【註】

1／所長・高山英男（2019年死去） 2／教育評論家。「カバゴン」の愛称で知られる。「現代っ子」を造語 3／「アニメーション三人の会」／久里洋二・柳原良平・真鍋博」の拠点。1971年4月解散 4／イラストレーター、煙草「ハイライト」パッケージデザインなど。2019年死去 5／草月流（華道）創始者の長男 6／アニメーション監督。『妖獣都市』など 7／ホテイのやきとりのイラストでも有名 8／ザグレブ国際アニメーション映画祭グランプリ 9／とくに『海底超特急マリンエクスプレス』（1979年） 10／もと東京ムービー 11／東映動画系の後継スタジオを設立 12／『鬼平 ONI-HEI』ほか製作 13／2016年公開。2019年、新規場面を追加制作した長尺版『この世界の（さらにいくつもの）片隅に』が公開 14／2006年公開、細田守出世作 15／作家。焼跡闇市派 16／東映動画派直系（虫プロ系とは真逆） 17／『PERFECT BLUE』のこと 18／原作は手塚治虫SF三部作のひとつ（ほか『ロスト・ワールド』『来るべき世界』） 19／イラストレーター、アニメーター。『とんがり帽子のメモル』など 20／止め絵／ハーモニーなどを新技法にしたアニメーション監督、演出家 21／アニメーション監督。『エースをねらえ！』『コブラ』『宝島』『ブラック・ジャック』など 22／an apple 23／美形キャラ、『聖闘士星矢』で知られるアニメーター 24／『あらいぐまラスカル』『ペリーヌ物語』監督 25／米実写映画のオリジナル・スピンアウト 26／キャラクターデザイン・総作画監督＝杉野昭夫 27／フジテレビ・プロデューサー、『鉄腕アトム』からアニメに関わる 28／『あしたのジョー』に隠れ目立たないが虫プロ（旧）2作目のちばてつや作品 29／虫プロの制作・営業部門出身。本名は岸本吉功 30／崎枕名義 31／第1作『犬神家の一族』の1976年に公開から7年、角川アニメ第1弾『幻魔大戦』が公開 32／出版界の風雲児と言われながらも麻薬で逮捕、それから四半世紀以上になる 33／声優事務所。創業社長は久保進 34／アニメーション監督。長編劇場アニメ処女作は『アリーテ姫』 35／画面構成・片渕須直 36／原作・CLAMP 37／原作・秋元康、作画・木村千歌 38／アンコール上映＆ロングランをはたす 39／原作・広江礼威 40／80年代の「ニューウェーブ」漫画家のひとり 41／『この世界の片隅に』原作者 42／株式会社ジェンコ代表取締役 43／創作あーちすと、のん 44／「〜ロス」という言葉で喪失感を表すようになって、はや7年

CHAPTER9

押井守

おしい・まもる

押井守

１９５１年生まれ、東京都出身。中学時代からＳＦ小説を愛読し、高校時代に学生運動の影響を大きく受ける。大学卒業後、ラジオ制作会社に入社するが、すぐに退社、タツノコプロに編集としてはいるがすぐに演出に回る。師匠と呼ぶ鳥海永行に続き、スタジオぴえろに。テレビアニメ『ニルスのふしぎな旅』の演出家から、テレビアニメ『うる星やつら』のチーフディレクターに。スタジオぴえろを退社してからはフリーランスとなり、〈映画監督〉として、アニメ&実写で野心的な作品を多く制作する。１９９５年発表の『ＧＨＯＳＴ ＩＮ ＴＨＥ ＳＨＥＬＬ／攻殻機動隊』が、米『ビルボード』誌のホームビデオ部門売上１位を記録すると、海外での評価が高まる。ゲーム『サンサーラ・ナーガ』（１９９０）、小説、漫画原作、舞台演出など、さまざまなジャンルで、創作を続けている。最近は、宇宙の初源となる「ビッグバン」の再現を試みる「ＩＬＣ（国際リニアコライダー）計画」を支援するＩＬＣサポーターズ【公式サイトhttps://ilcsupporters.jp/】の発起人としても活動している。また２０２０年には、ひさしぶりのＴＶシリーズ『ぶらどらぶ』に、総監督・原作・脚本として関わることになった。

なんでも言っちゃう

編集　『巨匠ハンター』の書籍化ボーナストラックとなります。押井監督、よろしくお願いいたします（同席した編集者は押井守監督の徳間書店時代の担当編集であり、『アニメージュ』編集長として付き合い、『勝つために戦え！〈監督篇〉』などの書籍もつくっている）。

――この取材の事情説明はされてます？

編集　ざっくりと。あんまりしてないです。これまでの徳間の仕事では押井さんには、「俺が何しゃべってもどうせ全部は載せねえだろ」って、「こちらの覚悟が足りない」みたいに言われていたんですが、今回は版元も違うし、書くのは吉田さんだから、しゃべったことはなんでも書いてもらいます。だから押井さんは、最初から、書いてもいいことをしゃべってください。同じ本に収録される方と、後々揉めるようなことがないようにしてもらえると個人的には有難いなあと、それは礼に反しますから……それくらいですかね。

――ボクはなるべくすべてを書く方向でいきたいので、よろしくお願いします！

編集　無忖度、アンド無事故でいきましょう。

押井　今回の趣旨は？

――人生を掘り下げつつ、いくらでも脱線しながら、ボクが聞きたいことを聞く感じですね。まず単純に聞きたかったのが、基本、口が悪い印象があるってことです。

押井　ああ、自分としてはべつに辛辣とか毒舌とかって意識はまったくないんですけど。これまで言いたいことは言ってきたっていうか、なんでも言っちゃうんですよ。それが映画監督の唯一の取り柄というか、たいしてお金も儲からないし、みんなが考えてるほどいい思いしているわけでもないし。

――そんなに儲からないですか？

押井　儲からないですね、アメリカの監督とかに比べれば、ですけど。ハッキリ言って監督だけで生計が立ってる人っていま日本に何人いるんだろう？　10人ぐらいだと思いますよ。アニメでも監督になれば金持ちってわけじゃなくて、せいぜい世間並ぐらい。まだＤＶＤが売れていた頃は印税収入っていうのが大きくて、僕もハッキリ言って印税でやってきた監督です。映画で大ヒットっていうのは1回もないですから。

――国民的ヒットみたいなものではなく、根強く評価されるような作品の監督で。

押井　だから、ほぼ固定客ですね。固定客の人数までわかっていますから。どんなものを作っても必ず買ってくれるお客さんが2000人ぐらい。あとはやってる作品によってハッキリ分かれる人たち。『機動警察パトレイバー』とか『攻殻機動隊』とかああいうものは昔かなり売れましたけど、自分のオリジナルとか、だいたいやりたいことやったものほど売れない、当り前ですけどね。

――それはボクがいま着てるTシャツ（『天使のたまご』[註1]）とかもそうでしたね。

押井　そうですね……あれ好きなんですか（笑）。

――はい。

押井　僕は映画だけじゃなくて、本を作ったり小説書いたりいろんなことやってきました。映画も、アニメと実写の両方やってきたんで本数だけは多いんですよ。40年間で40本ぐらいだから、たぶん撮っているほうだと思います。あとは万博[註2]やったり、だからわりとなんでもやってきたというか。

――それはなぜなんですか？

押井　飽きちゃうっていうのが一番ですね。基本的に監督って、自分がやりたいからやるっていま日本で言えるのは宮崎駿[註3]だけでしょう。あとは基本、発注があって初めて仕事になるので、3年くらい作品がなかったり、逆にいっぺんに3本注文が来たり。世間のイメージだと監督って、仕事がないときは酒飲んで麻雀してるって感じじゃないですか。もちろんそういう人もいっぱいいるけど、僕の場合は本業がないときはなんでもやるってことで結果的にいろんな仕事しちゃっただけで、望んでこうしたっていうことでもない。そのうち、なんでもやる人間だってことが定着しちゃったんじゃないですかね。

――これだけいろいろ言いながらも、仕事がちゃんと続いているのはすごいですよね。

押井　完全に暇で暇で、っていうことは……まあ、たまにあります。そういうときは本を読んだりゲームやったり、本をつくったりゲームをつくったり、それはべつに嫌いじゃないので。

私の著作に関しては、会いたい人との対談集みたいなものとかそういうのを自分で企画したこともあるんですけど、自分で全部書いた本は20冊ぐらいじゃないですかね。

――自分でちゃんと書くよりも、対談集とかインタビューのほうが売れちゃうとかありますよね。

押井　そう。しゃべるのは楽チン。でも小説とかエッセイは、自分がサボってると何も進まないんだよね。

――監督業はサボッていてもちゃんと進むんですか。

押井　監督っていうのはおもしろいもんで、途中ですこしくらい消えちゃったりサボってたりしても、なんとなく進むんですよ、スタッフがいるから。アニメは特にそれが顕著で、極端に言うと2～3ヶ月いなくてもなんとかなったりするんですよね。

――そんなものなんですか（笑）。

押井　アニメって長いんですよ。長編アニメは2年とか3年かかることもあるし、短くても1年とか。そのあいだにサブとして実写の短編撮ったり小説書いたり漫画の原作やったり、片方で何かやってないと情熱が維持できないというか。ミヤさん（宮崎駿）みたいに自分で絵を描いてる人は、3年だったらその間ずっと絵を描いてるから忙しいんですよ。俺は絵を描かないので、実際に現場が回ってるあいだは意外に暇なんですよ。暇じゃないのは、うまくいってない証拠なので。

――サボれるぐらいのほうがいい、と。

押井　僕からすれば監督が不在でも進行しているのが理想の状態ですよ。監督というのは、全体を客観的に眺めて判断するのが仕事だと思っているから。

理想の現場と理想の監督

――現場では顰蹙を買ったりしますか？

押井　買ってますね（笑）。逆に言っちゃうとアニメってスタジオで机の上で映画を作る仕事だから、ふつうのサラリーマンと一緒なんですよ。ものすごく何も起こらない。アクシデントがあるとすればアニメーターがつらくて逃亡したとか、当てにしてた外注に裏切られたとか、その後始末で奔走したり。あと途中でスポンサーが違うことを言い出したとか。そういう制作周りの始末も監督の仕事なので。内部的にいえば、作画監督とか撮影監督とか動画とか背景の美術の監督とか、各パートにボスがいるわけですよ。それと演出っていうのも別についてるわけで、このボスたちが有能であれば、極端に言うと監督は無能でもなかなかのものができちゃう。逆に言うと監督が全部あれこれやっていると流れが止まっちゃうんですよ。

――意外とそういうものなんですね。

押井　全部やるのが監督の仕事だと思い込んでる人もいるけど、僕はそれは勘違いだと思ってるので。1から10まで全部自分が見ないと自分の作品じゃないって思いがちですよね。でも、それは職人特有の、結果より達成感を求めてるだけですね。やったぶんだけ達成感があるのは当り前ですから。誰よりも早く来て誰よりも遅く帰るっていうタイプの監督はいますよ、ここにも（インタビューはプロダクション・アイジーの一室で行われました）2名ぐらい。でも、それはたいへん迷惑なんで（笑）。そこまで浸かっちゃうと客観性がどんどんなくなってくる。僕は逆のことを考えてます。

――いかに客観性を保つか。

押井　距離感をどうやって保つか。ほかの仕事を必ずやる、っていうのもそれがあるからで、極論を言えば初めて見たっていう目をどこまで持てるかですね。慣れちゃうと判断しにくくなるし、毎日見たり、顔を合わせているとどうしても馴れ合いっぽくなってくるから、客観性と緊張感を持つためにあえて距離感を持ちたい。誰にも理解されないですけど、サボってるとしか思われてない。

――近くにいる人もわかってない（笑）。

押井　わりとみんなわかってないなっていうのは、たしかに1日3時間ぐらいしか現場にいないんですよ、アニメやっていると。昼2時ぐらいに行って夕方に帰っちゃうとかね。だけど僕は毎日現場に入るんです。当り前と思うかもしれないけど、たいへんなんですよ（笑）。「いる」っていうことが一番大事なんで。しかも「ちゃんと見てるよ」って思わせる。実際には見られないんですけどね。アニメのスタッフって最低でも300人とか、多い場合は1000人近くいて。顔と名前が一致してるのはだいたい12~13人ぐらい。ただ、すべてのパートをちゃんと視野に入れている。そういう印象を持たせることは可能なんですよ。だから3時間いて何やっているかっていうと、ウロウロしてるわけ。

――以上（笑）。

押井　実際の現場って、それぞれのボスがキッチリやっているわけだから。本来、そういう人間を選んで連れて来るとか説得するとかっていうのが監督の一番大事な仕事。

――つまり、これまで評価されてきた作品もそういう感じで監督してきたんですか？

押井　全部そうです。2本目からそういうシステムに変えたかな？　誰よりも早く現場に入って誰よりも遅くまでいるっていうのが正しいと思っていた時期もありましたけど、それではダメなことがすぐわかった。人の仕事を評価するのが監督の仕事なんで、よほどのことがなければ基本的にそれぞれの親分にやりたいようにやらせて、これはちょっと違うなってときだけ介入する。介入するときにはちゃんと説得する。スタッフを選ぶときが一番正念場ですね。実写のときはキャスティングもそうだけど。始まりと最後の仕上げは誰にも任せない。

――つまり中間部分は人任せにする。

押井　だから、みんな監督って戦艦の艦長だと思い込んでいるけど、違うんですよ。そもそも戦艦一艘浮かべても何もできないし、後衛の部隊も燃料を運ぶ輸送船も、もしかしたら潜水艦も必要で。だから、じゃあ何かっていったら艦隊の司令官なんです。全体のシステムがうまく動いてるかどうか、必要な判断をする。艦長は艦長席から絶対降りちゃいけないわけですよね。降りちゃって事故を起こした艦長もいて、それはだいたいクビになりますけど。だから司令官は自分の部屋でお茶飲んでるのが正しい。あとは最初の発砲命令は出す。いつ撤退するかの判断もするし、必要であれば応援を呼んだり増援の交渉をしたり、作戦全体の指揮ですよね。

——最初にフルで関わったとき、これは違うなってことがなんでわかったんですか？

押井　それで議論になったというか、そういうやり方にイチャモンつけてきた人がいるんですよ、宮崎駿っていうんですけど。

——宮崎駿！

押井　そもそもあの人が言い出したんだけど、監督軍曹論っていうんですよね。監督っていうのは現場で兵隊と一緒に闘うべきだ、飛び出すときは先頭になるべきだっていうね。僕は監督参謀論っていうので対抗したんですけど平行線ですよ、やり方の違いだから。たしかにあの人は兵隊として闘える人です。あの人自身が絵描きで、アニメーターだけど僕は絵は一切描かないので。

——兵隊としての能力は低い。

押井　ぜんぜん違いますね、やることが。逆に言うと監督の数だけ現場のやり方が違うはずです、特にアニメの場合は。あとは簡単に言うとスポンサーとかプロデューサーとどう闘うか、現場の代表として現場を守るっていう意味で。これは要するにケンカするっていうか説得するってことだから、わりと好きだし得意なんですよ。極端に言うと監督って人を説得する仕事です。スポンサーから始まってスタッフに至るまで、納得しないとものは動かないから。「いいからやれ！」って人もいつの時代もいるんです。あとは恫喝したりとか、つるし上げたり、殴る蹴るの人もいる。いまでもいますよ、だいぶ減ったけど。名前言ったらマズいけど、ひとり（笑）。

――そうなんですか！

押井　たまたま頭下げた瞬間だったらしいんだけど、頭に命中しちゃったって話ですからかわいいもんでしょう。本当の暴力っていうのはそんなにないんじゃないですかね、実写のほうでも暴力振るう人は減ったから。昔は文字通り物理的な力を振るう人がいっぱいいたよ。アニメはもともとそういう世界じゃないけど、その代わり言葉の暴力はすさまじい。それもいまは減ったと思う。若い監督みんな紳士的だし、情熱で引っ張っていくタイプも少ないから。

情熱と莫迦のあいだ

――押井さんの頃は過酷だったんですか？

押井　僕の師匠（鳥海永行[註4]）とか恐ろしかったですね、みんな震え上がってました。大の男がホントに涙流してましたからね。怒鳴り始めたら2時間は止まらなくて、その間は直立不動で座らせてくれないですから。そういう人が師匠だったので、僕は恫喝に強い体質になっちゃったというか。

――すっかり恫喝慣れしちゃった（笑）。

押井 うん、親父も恫喝人間だったので、恫喝が大好きな人間たちと生きてきたので、僕自身は恫喝大嫌いだけど、恫喝されてもぜんぜん平気っていう体質にはなった。

――それは仕事にもプラスになりますね。

押井 ぜんぜん楽ですね。ものすごく役に立つ。当り前だけど、説得する過程では感情的になったほうが負けますから。僕が冷静でいるほど相手は逆上するわけで、逆上した側が負けですよ。「あいつデタラメ言ってる」って誰にでもわかることです。そうすると結果的にこっちの言い分が正しいっていうことになる。だから別の言い方をすれば挑発してるというか（笑）。

――ダハハハハ！　余計に怒らせて。

押井 うん、そういうのもありますよね。

――どういう状況で怒られるんですか？

押井 「なんで俺の言うことときかないんだ、俺はプロデューサーだぞ！」って。

――基本、言うことはきかないタイプ？

押井 あんまりきかないですね。結局「五分と五分」だと思ってるから、あなたに雇われてるわけじゃないっていう。日本のプロデューサーってみんな会社員だから、プロデューサーの意思というよりは会社の代弁者っていうか、向こう側に配給会社がいたりするわけですよね。それをただ聞いて帰るだけだと現場が大混乱になるし、そうすると現場での監督の信用とか権威とかどんどん失墜して、ただのイエスマンだって話になっちゃうから。現場を守るっていうのは職場の仁義とかそういう問題だけじゃなくて自分のためでもある。現場に無用の混乱を持ち込む、たとえば方針の変更とか、そういうのは絶対許さないっていうことでいかないと。それ実は一番楽なんですよ、「じゃあやらない」って言えばそれで終わりですから。「じゃあ俺、降りるから。あと勝手にやれば?」って。そうすると、だいたい向こうが折れる。ただし。この手を使って作品が失敗した場合はたいへんなことになるけどね。しばらく仕事ないなっていう(笑)。

——そのケンカを始めたのって、テレビの『うる星やつら』ぐらいからなんですか?

押井 そうですね。『うる星やつら』は僕が初めて監督になった作品ですけど、30歳ぐらいだったかな? 毎日がケンカ。怒鳴り合いに近い(笑)。もちろんクビになりかけましたよ。最初の2クール終わったとき、視聴率もよくなかったしクビだって話が聞こえてきて。現場で「もしかしたらクビになるかも。あんたらどうする?」って言ったら、「俺たちもみんなやめるから」って話になって、そうしたら結局3クール目から視聴率が急激に上がり始めて。単に(視聴者が)慣れちゃったんだと思うんですよね。それで事なきを得たというか。あと、最初に形になってない別の映画の企画もあったんですよ。

――劇場版『うる星やつら』以前に。

押井　うん。制作会社の社長直々の発案で。でも、スケジュールぜんぜんなかったんで「絶対無理だ、できません」って言ったんですよ。「できないとは何ごとだ！　やれって言われたらやるのが監督だろ！」「できないもんはできない！」って。実写だったら、極端に言えば1週間でできるんですよ。でも、アニメは絶対にできない。すべてを人間が描く仕事だから絶対無理っていうことがある。しかも脚本にちょっと問題があったりして。そしたら呼びつけられて、「もう邦画の世界で絶対仕事させないぞ」って言われてね。まあそういう人だったんですけど。

――つまり、劇場映画で監督デビューする前に、そんなことを言われてたんですか！

押井　そうそう（笑）。でも、できないもんはできないし、できるって言っちゃったら現場がどうなるかわかってるから。グッチャグチャになって死ぬ思いして、さらにはひどいものしかできない。何も残らないですよ。それは絶対やめるべきだと思った。現場も無理だってもちろん言ってたしね。そのときは恫喝されましたよ。言った本人が後に博打で警察に捕まっちゃったけど（笑）。

――え！

押井　そういうこともあるんですよ。それから1年後かな、また呼び出しがあって、「手打ちしたい」って言うんですよ。けっこうなところに連れてかれて、「いろいろあったなあ」って言われて（笑）。だから結局そういうふうになるんですよ。監督を降りるって言ったらそれで全部終わっちゃうんです。違う監督を持ってくるっていうのも実写の場合だったらふつうですけど、アニメって特殊技能なんですよ、誰でもできるわけじゃない。無残に座礁した作品はいくらでもあるんで、ちゃんと納期までに一定のクオリティで仕上げてみせるっていう、これ自体が尊重に値するスキルなんですよ。だからそんなに簡単には交代できない。あとやっぱり、誰かの交代で監督に入るのはみんな嫌がる。やっぱり現場の仁義があるから。

――だけど押井さん自身、交代で監督になったこともあるわけじゃないですか。

押井　ありますよ。デビュー作（『うる星やつら　オンリー・ユー』[註5]）はピンチヒッターでしたから。ピンチヒッターをよしとするかどうかは、そのときの状況によって変わるんで。ピンチヒッターでやったほうが男が上がる場合もある。深作健太[註6]みたいに親父（深作欣二）が途中で死んじゃったとか、彼はあれで男を上げましたからね。

――『うる星やつら　オンリー・ユー』は？

押井　あれはね、単純にやってみたかった（笑）。無理かなと思ったんだけど、なんとかなるかなって、あのときはそういうふうに思ったの。シリーズと並行で、シリーズのほうからスタッフぶっこ抜いて使ったりしたから、シリーズのほうはボロボロですよ。いろいろ痛い目に遭って多く学んだという意味で言えば、振り返ってみればやってよかったのかなってなりますけどね。ただ、あれに関しては僕の前任者の監督が半年もあったのになんにもやってなかったんですよ。コンテも2枚ぐらいしか上がってなくて呆然となって。さすがにプロデューサーが青ざめて、残り4ヶ月ぐらいしかなかったと思うけど、なんでもいいから作れって話で、「なんでもいいんですね?」って。

――念押しして。

押井 だから脚本はぜんぜん使わなかった。それで大揉めに揉めたんですけど。脚本家が怒り狂って、当り前ですよね。

――自分の名前がクレジットされているのにぜんぜん使われなかったら怒りますよ!

押井 ぜんぜん使わなかった。私からすればあんまりよろしくない脚本だったので、「使えないわ」って。シリーズやっていた人でもなく映画用に来た人なんで。ただ原作者と仲良かったらしい。その点、私は原作者と馬が合わなかったので。

――メガネが暴走したりしてたから。

押井 あと、それでも受けた理由は、師匠に「ほかの監督の後始末っていうのは不本意かもしれない、受けたくない気持ちはよくわかる。だけど作品がかわいいんだったらおまえがやれ。この作品のこと一番わかってるのはおまえなんだから。ほかの監督がやったらたぶんひどいことになるぞ、それでもいいのか? 自分が心血注いだ作品が映画っていう晴れ舞台になったときにひどいもんが上がるぞ、おまえがやれ」って説得されたんですよ、すき焼き食いながら。師匠が飯食わせてくれたの、あれが最初だと思う(笑)。劇中でそのまま使いましたけど、すき焼き食いながら説得するシーン。そういうことがあったので、いつも師匠の言いつけを守らない弟子だったけど、ここは師匠の言うこときいてみようという決め手になりました。案の定ひどい目に遭いましたけど。

——ひどい目に遭ったんですか！

押井 ただ、いろんなことを学べた。映画ってそもそもどうやって作るのかを考えるきっかけになった。シリーズの30分が、ただ100分になるのとは根本から違うんです。映画は映画なんで、テレビシリーズとは作り方も考え方もまるで違う。それがよくわかった。

——その結果として、ファンは喜び原作者も喜び脚本家は怒ったってことですかね。

押井 そうなんだよ、原作者はわりと喜んでいた。要するにイベントムービーですからね。いろんなキャラクターを全部出して、全部見せ場作ってあげてさ。それだと映画にならないことは、作ってみてよくわかった。だから2本目は誰の言うこともきかないって決めて始めたの。

——『うる星やつら2　ビューティフル・ドリーマー』註7では最初からその覚悟が。

押井 自分で脚本もやりましたし。原作者の評価はまるで逆になりましたよね、最悪になった（笑）。でも、最初からそのつもりだったので。やめる前に、誰の言うこともきかないで1本やっちゃうぞっていう。

——もちろんボクは1も2も劇場で観てますけど、圧倒的に2のほうが好きです。

押井 いままでは、世間でもだいたいそういうふうになってるんですけど、出来上がったときはみんな声なかったですよ。何やってるかわかんない、何を言うべきなのか判断できないっていうか。どうすんだこれ、万が一コケたらたいへんなことになるぞ、原作と関係ないもの作ったわけだから、誰が責任を取るんだよっていう。もちろんプロデューサーが取るんですよ（笑）。監督はいろいろ言われるだろうけど、実際に社会的に責任取るのは監督じゃなくてプロデューサーですよ。監督っていうのは、評判とか芸術的評価っていうか、芸として世間に問われるけど、社会的責任はそれをやらせたプロデューサーが取るんです。会社でいったら飛ばされるか降格するかってことじゃないですか？

――それをわかっていながらやった、と。

押井　そのことを学んだっていうかね。映画を作るリアリズムとはなんだ、誰がどこでどう責任取るんだ、実際ものを決めるのは誰なんだ、プロデューサーはどっちを向いて仕事してるのか、逆に監督はどっち向いて仕事するべきか、とかさ。それはスポンサーなのかプロデューサーなのか現場のスタッフなのか役者なのかお客さんなのか、そのときどきで変わるんですよ。のちにサッカーを観るようになって思ったのは、サッカーの監督に似てる。サッカーの監督は単に優勝するだけじゃダメなんですよ。優勝したその日にクビになった監督はいくらでもいる。だから監督ってつくづくおもしろい商売だなっていうか、そのことをわかってないと勝てない。まあ、勝たなくてもいいんですけど。僕は勝たなくてもいいから負けないことが大事だと思ってるので。註8

確信犯として生きる

——アニメの映画における「負けない」っていうのは具体的にどういうことですか？

押井　次の仕事が来るっていうこと。それが監督の獲得目標。1本当たったってどうってことないんですよ。3本続いて当たっても4本目がコケちゃったらそれはダメなので。ウチの師匠は「3割バッターでいろ」って言ったんですけど、「3本に1本はお客さん向き、世間の評価もあり現場も喜ぶっていうね、みんながハッピーになるものにしろ、あとの2本はいろんなことに目をつぶれ」って。私はそうは思わなかったんですけど（笑）。でも結果的に僕は3割バッターですらないから、微妙なバッターで。

——当てに行く気持ちはあるんですか？

押井　師匠が補足で言ったことが、「見送りの三振は絶対するな」って、それは覚えてます。大振りの三振だったら許される、毎回ホームランを打てるわけじゃないんだからホームランを狙うな、確実に点数が出せる、出塁するバッターがチームにとって一番大事なバッターだってことは言ってました。だからそのときどきでバントもするし、あえて大振りするときもあるし、右中間を狙ったり、いろいろですよ。だけど一番大事なのは次のバッターボックスに立てるかどうか。それを考えて仕事はしてきた。

——期待される存在であり続けるという。

押井　僕の場合、幸運なことにしつこいお客さんができたので。絶対卒業していかないっていうか。アニメーションってあるときからお客さんが卒業しなくなって、その時期に監督になったとも言えるんですけど。ガンダム青年が、いまガンダム中年とかガンダム老人になりつつあって、一生『ガンダム』と付き合ってる。僕の場合は富野さんにとっての『ガンダム』とか、ミヤさんにとっての『ナウシカ』とか、そういうビッグタイトルがひとつもないのだけど。

――国民的ヒット作みたいなものが。

押井　うん、ないんですよ。『パトレイバー』とか『攻殻（機動隊）』だとか言うかもしれないけど、『パトレイバー』はともかく『攻殻』は人さまの作品だから。あれは士郎正宗[註9]さんのものですよ。僕はいち演出家、いち監督なんで。その後もいろんな監督が作ってるし。だから僕の代表作って何かっていったら世間的には『攻殻機動隊』とか『機動警察パトレイバー』とか『うる星やつら2　ビューティフル・ドリーマー』とか挙がるけど、全部よそさまのものですよ。『パトレイバー』は5分の1自分のものだけど、名目上原作者はひとりだから。

――原作はヘッドギア（ゆうきまさみ・出渕裕・高田明美・伊藤和典・押井守）名義ではあるけど。

押井　ただ内実を言えば自分の好きなようにやった。『スカイ・クロラ』もそうですけど、そのときどきで内部的にいろいろあります。みんなでハッピーになるっていうのはテーマとしてはあるけども、蓋を開けてみれば極端に言うと半分は敵作ってるようなもんですよ。「あなたとは二度とやらない」ってセリフはずいぶん聞いたから。

――あの『ビューティフル・ドリーマー』ですら敵を作っちゃったわけじゃないですか。

押井　あれも全員がハッピーっていうわけにはいかなかったですね。とりあえず東宝さんはハッピーで、しばらく東宝さんの信用はあったみたいです。それは『ルパン三世』（幻の劇場版第3弾[註10]）のときやっとわかったんだけど。『ルパン』のときに味方してくれたのは東宝さんだけだったから。

――あ、そうだったんですか！

押井　うん、これは驚いた。やっぱり配給会社っておもしろい発想するんだなと思って。中身がどうこうじゃないんですよ。興行的に成功したわけですよね。お客さんがいっぱい来た！って言うにはもうひとつだったけど、その後10年近く経ってもまだ商売になったんですよ。要するに当時だったらレーザーディスクとかVHSとかが前の作品以上に売れた。それはとても大事なことで、映画っていうのは公開のときだけが勝負じゃないというか、もっと言えば公開時の勝負は勝負になってないというか。だから動員数で監督を評価するのは、僕はいまでも間違いだと思ってる。僕が動員できない監督だっていうことをさっ引いてもね。

――ダハハハハ！　自覚はある（笑）。

押井　だいたいこういうことを言うと現場ではみんなせせら笑うんですよ、「あんたそれひがみだよ」ってね。「監督、100万人動員したことないでしょ？」って。1回もないですから、珍しい監督なんですよ。

——ただ、それでも最終的には資金を回収できるタイプの監督なわけですよね。

押井　最終的には。

——『天使のたまご』とかも。

押井　最終的には回収した。だから5年かかるか10年かかるか、けっこうかかりますけど回収できなかった作品って何本かだけじゃないですかね。『立喰師列伝』[註11]とかは、たぶん回収してないと思う（笑）。でも『御先祖様万々歳！』[註12]とかじつは回収してるからね、驚くべきことに。もともと安かったんだけど。だからじつは安い監督なんですよ。早い安いうまいって言われてたから。

評価と向きあう

——最近は制作費が高そうですけどね。

押井　僕は、これだけは胸張って言えるんだけど、納期を遅らせたことも予算オーバーしたことも1回もないから。これは最後の信用の拠り所になっている。どんな大ヒットしても、プロデューサーが青くなった作品を作ってしまったら次は来ない。だって飛ばされちゃいますからね、責任取らされるから。

――ケンカはしてもそこはちゃんと守る。

押井　だからプロデューサーを敵に回しているわけじゃなくて、プロデューサーも納得させるというかハッピーにするというか。向こうが本音でどう思っているかは別としてだけど、予算オーバーしない、納期を守る、一定以上のクオリティを必ず上げる。お客さんが来るか来ないかはハッキリ言ってそのときの運次第だし、それぐらいのことはプロデューサーだって多少はわかっているんですよね。いいものを作ったらいつも大ヒットするわけじゃあない。「こんなひどいのが？」ってものが大ヒットすることもある。だから、ある局面においてはプロデューサーを騙したり騙されたりがあったとしても、最後の一線のところでは絶対騙さない、嘘をつかない。僕は嘘つきだってあちこちで言われているけど、嘘つきだって自己規定したことは一度もない。

――自分では正直に言ってるつもり。

押井　聞かれなかったことは答えない主義なだけですよ。

編集　アハハハハ。

押井　相手の誤解は解かない。相手の勘違いも放置する。聞かれたら答えますよ。それでも何か言われたら、「あんた聞かなかったじゃない」っていう。それはインチキだとか卑怯だとかいうことには当たらないと思っているから。

――嘘はついてない。

押井　ものをどう尋ねるか、どう聞くか、どう問いただすかっていうのはその人の器で。商行為だから、納品されてから「これ違うんだけど」って言われても、それは違わないっていう。映画の現場なんて町工場みたいなもんだから。逆に言えば、言われなくたって言われた以上のことを必ずやる。自分の能力の範囲内で。誰がなんと言おうとクオリティだけは絶対追求するんですよ。

――それぐらいクオリティ高めた作品が当たらないときは、ヘコんだりするんですか？

押井　しないですね。当たらなかった場合の心の準備っていうのは、ずっとしているんで（笑）。実際に大コケしたこともありますが、特にヘコんだことはないですね。「ああ、やっぱり」とか、理論武装していますから。

――ある程度は覚悟してるんですかね？

押井　自分が一番よくわかっている。世間の評判とか興行成績じゃなくて、僕が気にしているのはむしろ身近な人間の評価。まず真っ先に考えるのはスタッフの評価、実写なら役者の評価。僕を知っている人間が一番正しい評価をする。だから昔は、師匠の評価は絶対でしたからね。よく怒られましたよ。それで、たまーに誉めてくれる。でもその師匠が死んじゃったから、[註13]かなり苦戦してます。

――宮崎駿さんにはなにか言われないんですか？

押井　あの人がどう考えているかはわからないです。ある時期まではお互いの作品について言いあっていましたけど、どこからかお互いにぜんぜん何も言わなくなったというか、言っても無駄だっていうか。10年間ぐらいかなり濃密に付き合ったんですけど、10年前ぐらいからかな、もうお互いに語ることはないっていう感じになって。会えばケンカになるから僕はなるべく会わないようにしているし、そもそもあの人は誰の言うこともきかなくなっているから。鈴木敏夫[註14]の言うことすらも去年から……だから完全に孤立しているだろうと思っていますね。孤立するっていうのは監督として最悪なんで、誰も正直なことを言わなくなるというか。歯に衣着せず、ホントに思ったとおりのことを言ってくれるお客さんが大事なんですよ。それは真っ先には身近な人間で。20年付き合ってるアニメーターとかね。一番辛辣で一番怖いのは、監督だったら誰でもそうだと思うけど、やっぱり奥さんですよ。どんなに偉そうなこと言ったって、世間がなんと言おうと亭主のダメなところ全部知ってるから。

――奥さんのダメ出しはあるんですか？

押井　まあ一応毎回ありますね。わかりやすいですよ、「今回はＯＫ」とか、「今回はあなたの勝ち」とか、「こんなもののために1年間家に帰ってこなかったのか」とか、「棺桶のなかに入れてやる」とかね。

――それぐらい、むこうには言うことがある（笑）。

押井　いろいろあるみたい（笑）。だからドキドキですよ。けっこうそれがこたえますね。作画監督とか演出とか、一緒に苦労した人間の評価もけっこう辛辣。アニメの世界は監督ってもたんだよ。なぜかというと、こんなに苦労させられたのに報われなかった、ってことですよ。だからハッキリしてる、それで「あんたとは二度とやらない」発言が横行するんですよね。

——意外とよく見ますよね。

押井 実写の現場で「あんたとは二度とやらんぞ」って人はめったにいない。それは一緒にいる時間の長さに比例するんですよ。実写の現場はどんな大作でも、実際にカメラが回っている時間でいったら長くても2~3ヶ月、短い作品だったら5日間とかね。だから自分がどう思ってるかは別として、「また呼んでください」と言える。アニメの場合は、流れ歩いてるのはスタッフではなく、むしろ監督のほうなんですよ。スタッフはだいたい同じ場所にいるわけだから。だから監督っていう言葉から想像されるイメージと、アニメの現場の内実っていうのは相当違いがあると思う。けっこうみんな言いたい放題ですよ。

——押井さんは比較的「もうやりたくない」って言われてるイメージがあります。

押井 たぶん現場で恐れられてるっていう意味では、ミヤさん（宮崎駿）とか、死んじゃったけど高畑勲[註15]とか、富野（由悠季）さんもそっちのほうかな。文句は言わせない！ それと違って僕は言われ放題の監督。けっこうパシリとかさせられるし（笑）。「お弁当買ってきて！ みんな忙しいんだから、あんた暇でしょ」って、それで注文聞いて回って弁当買ってきたりしてね。

——ナメられやすい（笑）。

押井　「たまには飯食わせろよな」とか「何やってんの！」とか「また帰ろうとしてるでしょ」とか、けっこう言われ放題。僕はそれでちょうどいいと思っている。現場で権威を振りかざすようじゃ、そもそも現場は機能してない。最近付き合ってる若い監督に一番言うのは、「スタッフはおまえの手足じゃない、手足として使うなよ。なんでかっていうともったいないから。頭までもれなく使え」って。自分は手足でいいんだと思ったら、ものを考えなくなる。ものごとの判断を全部監督に任せて楽チンしようと思ったらいくらでもできるから、それを許すなって言っているの。「ここどういうふうにしたらいいですかね？」って聞かれたら、「あんたはどう思う？」って俺はしょっちゅう言うんだよ。役者と付き合うときもそう、「どうやったらいいんでしょうか？」って言われると、「1回やってみれば？」「やってみてどうだった？」っていう持っていき方が一番正しいんですよ。

——ちゃんと育てる監督なわけですね。

押井　いや。使っちゃうんですよ（笑）。だから「あんたにいいように使われた」とか「利用された」とか、そういう言葉も出る。「あそこやったの全部俺じゃん！　あんた何もしなかったじゃない。でも、誉められるのはあんたばっかり」っていうね。

——それで嫌がられる可能性がある。

押井　まあ、パターンはいろいろありますよ。特にアニメの現場って職人しかいなくて、職人特有のものの考え方するから。だから上の言うことは聞かない。どちらかというと横の評判を気にする。「あいつがなぜ俺より上にいるんだ」とかね。そうするとすぐ「俺辞める」とか「あいつの仕事の後始末をなぜ俺がやるんだ」とか「あいつが逃げた仕事をなぜ俺が受けなきゃいけないの？」とか言うから。昔ほどじゃないけど、いまでもそれはある程度はあると思う。横並びの世界っていうか横を気にして仕事する。業界の評判をまず気にする。コケようが当たろうがあんまり関係ない。当たったってべつに恩恵をこうむるわけじゃないから。

――基本、評価されるのは監督だけで。

押井　でも、この業界の人間だったら作品は寄ってたかって作るもんだってみんな知っているし、誰かひとりの力でどうにかなるもんじゃない。それはミヤさんといえどもそうで、だから宮大工[註16]の世界なんですよ。一人前になるのにものすごい時間がかかる。なおかつ作っているものは基本的にオンリーワンで、量産品じゃないっていう。もうひとつは10年、20年経ってもいいものにしなきゃダメで、だからどんな過酷な要求でも最終的にはあんたのためになるんだよって。そういうふうにぜんぜん思ってくれなくて、「ひどい目に遭わされた」って言われるけど。ひどい目に遭わされることでしか人間成長しないから。そんなの当り前だよ！

魂の成長痛

――押井さんもタツノコプロでひどい目に遭いながら成長してきたわけですよね。

押井　なんとなく現場に10年20年いたら一人前になると思ったら大間違いで、自然成長するもんじゃあないんですよ、他人の評価にさらされている世界だから。これを理解しないと仕事にならないですよ。ただ俺、本質的に職人は嫌いだからね。彼らは、自分の世界しか求めないから。平気で降りる、平気で逃げる、辞めればいいと思っている。自分の価値観としてはそれでいいんだろうけど、僕は作品本位に考えるから。

――つまり、押井さんはケンカしながらもちゃんとやり切るタイプなわけですね。

押井　それはね、戦争に勝たないといけないから。戦争に勝つっていうのは、必ずしも連合艦隊で敵を撃滅しましたっていうだけじゃなくて、撃滅できなくてもいいからちゃんと無事に連れて帰るっていう。ある場面で勝ったとしても、自分の船を沈めちゃダメなんですよ。だから、つくづく監督って特殊な商売だなと思うんだけどね。自分が思ってないところで評価されるかと思うと、評価してほしいところは誰も見てくれないとか、そんなの当り前で。自分なりに緊張感や距離感を持っているのも作品のためのことなのに、サボってるとしか思われない。アニメやりながら本を書いたり、いろいろやっていますけど、なかでも特に実写やったりしているときは、風当たり強いんですよ、「何やってんの」「なに浮気してんだよ」「また実写に逃げた」

って言われる（笑）。「それ違うんだけど」って言っても誰も納得しないですよ。

――「ファンは実写を求めてない」的な。

押井　それもあります。ファンはファンで、基本的に『攻殻』とか『パトレイバー』とかだけやってほしいわけだよね。合間に余計なものいっぱい作っているじゃないですか、それはものすごく評判悪いですよ。評判悪いけどちゃんと観てくれるし買ってくれるからいいんだけど（笑）。

編集　アハハハハ

押井　でも「またか」とか「今回はハズレのほうだ」とか「年貢だと思って買いました」とか、「税金です」とか「食えなくなると困るから」とか、それはファンのご要望どおりにものを作っていたら仕事にならないですよ。一生『パトレイバー』やっているわけにもいかないから。だから僕からすれば、それはファンのためでもあるっていう。いいところで終わらせてあげないと。終わらないけどね、『パトレイバー』も『攻殻』もいまだにやっているから。『うる星やつら』だって僕がやめてからもずいぶん長いことやっていましたからね。それがホントに幸せなのかっていうさ、『ルパン』みたいになっちゃっていいわけ？　……っていうことを言っちゃったらいけないんだろうけど（笑）。

――なんの問題もないですよ！

押井　やっぱり漫画家もそうじゃない？　新人が大ヒット飛ばしたりすると、それ10年描かないといけないじゃん。頭おかしくなって当然だよ。そうしたくて漫画家になったのかっていったら、たしかに当たらない漫画家は悲惨かもしれないけど。ただ諸星大二郎[註17]みたいにコンスタントに自分の描きたいものだけ描いて、たいして売れるわけじゃないだろうけど、それで生計が成り立って、短編集を出すたびに表題作以外は全部昔の作品でも、ファンは買うんだよ。

――ボクも買ってます。

押井　もちろん僕も買ってる！　僕だって『パトレイバー』を何回出し直したかっていったら5回や6回じゃないですよ。だからある意味、僕のDVDを買うお客さんと同じ心理かもしれない、とりあえず買っておかなきゃっていう。諸星大二郎ってホントにいい生き方しているなっていうのはじつはミヤさんが言っていた。「漫画家のなかで一番いいところでやっているのは諸星大二郎だよ」ってよく言ってた。どっかで描く絵が似ているっていうシンパシーもあるんだけど。

――ナウシカは完全に影響を受けていますよね。ただ、諸星先生にインタビューしたら、「俺の作品が評価されてるって言うんだったら、もっと売れていい」「なんで売れないんだ」って話ばかりしてたんですよ。

押井　概ね、ものすごい人間とか表現者って自己評価と世間の評価が一致しないんですよ。士郎（正宗）さんだって、べつにすごい売れてるわけじゃないもん。デヴィッド・リンチ[註18]がインタビューで言ってたけど、「スピルバーグも俺もやってることは同じだ、自分が観たいものの作ってるだけなのに俺の100倍も1000倍も売れている、許せない」みたいなさ。客観的に言ったら当り前ですよ、あんた客になんにもサービスしてないじゃないっていうさ。でも、リンチからすると納得できないんだよね。

——押井さん、その気持ちはわかります?

押井　僕は一応、客観的な男だから。自分の作品がもうひとつ売れないことに関しては冷静です。逆に言えば、いまだに全作が生き残ってて、1本も絶版になってませんっていうね。小説はさすがに絶版になっているけど、映画に関して言えばいまだに撮り続けられているし、仕事ができていることがその証明で。だから僕は大作の監督でありたいとかぜんぜん思わない。これは見栄でも意地張っているわけでも、ひがんでるわけでもない。大作もやってきたし、十何億で撮ることもあれば500万で撮ることもある。その両方ができて監督はハッピーだと思っているし、大作しかやらせてもらえない監督って悲惨だと思う。(スタンリー・)キューブリック[註19]が幸せだったかって話だもんね。自分の伝説を生きなきゃいけない。初期の頃の作品観たらすぐわかる、野心的な監督だったんだから。

——規模が大きくなりすぎちゃって。

押井　そもそも完璧主義者に監督なんかできるかよ。映画なんてどんな大作になったって妥協の産物なんだよね。だから僕はあの人が幸せだったとは思えない、ジョージ・ルーカスがそうであるように。ルーカスには1回だけ会ったことあるけど、とても幸せな人間に見えなかった。

スピルバーグなんてずっとはしゃいで映画作っていてハッピーな男だけど、あれは稀なんですよね。やりたいことやって、なおかつ、ちゃんと世間で成功するっていう。それでも、ときどき『カラー・パープル』とか『ミュンヘン』みたいなシリアスな社会派映画撮るのは、やっぱりどっかで納得してないんですよね。当り前ですよ。だからアリバイがほしいんだよね。（ロマン・）ポランスキーが[20]『戦場のピアニスト』を撮ったみたいなもん。自分の亡命にじつは納得してないんです。「俺はポーランド人だ！」っていうセリフで終わるじゃないですか。言い訳で作った映画だってすぐわかる、言い訳映画は、どんな巨匠でも必ずやる。言い訳映画のない監督ってサーぐらいしかいないんじゃないかな。サーっていうのはリドリー・スコット[21]のことだけど。

やって良いことと悪いこと、やらなきゃいけないこと

――押井さんに「言い訳映画」はあります？

押井　僕は、基本的に毎回好きなことやって、ある意味では毎回勝負していたので言い訳で作ったっていうのはないな。途中からこれヤバそうだなっていうときは開き直っちゃったほうがメリットが大きい。結果的にやりたい放題になっちゃった映画っていうのもすぐわかるんですよ。これは世間がどう言おうが身近な人間にはすぐバレる。ミヤさんの某作品のように（笑）。

——自分の作品でも興行的にヤバそうだなって映画があって、それでもちゃんと告知なりキャンペーンなりしなきゃいけないわけじゃないですか。それ、しんどくないですか？

押井　40年もやっていると、これダメだなっていうときもあるんですよ。そのときにどう振舞うかは、これも師匠に教わったんだけど、「絶対に失敗したって言うな、これはスタッフに対する責任だ。『10年後に本当の勝負がつくんだ』とか、どういう言い方してもいい」って。だから「すみません、今回ダメでした」とは1回も言ってない。まあ、あんまり言う人いないけどね。

——当たり前です！

押井　最近けっこうSNSで内幕をぶちまけたり、「あいつのせいでダメになった」とか、監督自らがそんなことやることがあるんですよ。それやっちゃダメですよ。そこは世間になんと言われようと語っちゃダメ。それは現場に対する責任だと思う。

——なんでも言っちゃう印象があるけど、押井さんにそのへんの常識、境目がちゃんとありますね。

押井　もちろん。僕がただのデタラメやっていると思ったら大間違いだよ（笑）。つい最近もあったけど、局の意向だかスポンサーの意向だかわかんないけど中止になったり、違うものになっちゃたり、監督が替わったり、内幕はいろいろあるだろうけどバラしちゃダメ。それは最低限のことだと思う。言ってもいいことひとつもないもん。そんなことやったって誰も同情もしなければ、そいつの味方にもならない。たとえプロデューサーがどうしようもないヤツだったとしても、意趣返しするにしてもね、考えないと。僕はわりと復讐心が強い男なのだけど（笑）。

——復讐するんですか（笑）。

押井　違うとこで意趣返しする……まあ実際問題、そんなことしないけどね。監督はいつもそこにいるけどプロデューサーって3年、5年経ったらもうそこにいないんだもん。さっきも言ったでしょう。だから若い監督に言うんだけど、「プロデューサーの言うことを聞いたからって、次が来るわけじゃないんだよ。おまえは一生監督だけどあのプロデューサーは会社の都合で明日から替わる。それの言うことをきいてなんかいいことあると思うほうがどうかしてる」って。要はどれだけケンカしようがちゃんとしたものを作って、興行的な成功か評価かどっちか必ず取れって言ってる。映画が当たらなくても必ずしもおまえの責任じゃない、ケンカしてでもどっちか必ず取れって。それで仕事が来なくなるなんてことはありえない、ちゃんと映画を撮れるってだけでも希少価値だよ、自信があるんだったらそうしなさいって。いまの若い監督ってそういう気の遣い方するんだよね。それか最初から誰の言うことも絶対きかないって決めてるかどっちか。どっちも間違っている。

——押井さんにはバランス感覚があった。

押井　私はバランス人間です。ある人に言われたけどね、「この人うんざりするほどバランスが取れてる」って。ケンカはいっぱいするけどあんまり破綻したことない。ぜんぜんないわけじゃないけど、そういう意味ではみんなでハッピーになるってことをわりとまじめに考えている。そんな理不尽なことやったっていう自覚はぜんぜんないです。それやっていたら40年間こんな好き放題にやってこられなかったと思う。たしかに振り返ってみると、やりたいことしかやってきてないなって思うんだけど。なぜこれができたかって考えると、約束は守る、嘘はつかない。つまりどっかで筋を通してるんですよ、原則はあるんです。あと師匠がいいこと教えてくれたなって思うのは、「ヤバいと思ったらすぐ逃げろ」って。

――それが師匠の教え（笑）。

押井　師匠が教えてくれた一番いい言葉。「ヤバいなと思ったらケンカして降りればいいんだ」って。降ろされるっていうのは監督にとって不名誉ではないんです。ただ、自分で「俺やめます」っていうだけなのでは誰も評価しないから、やめる前に必ずケンカしろって。「ケンカなんて簡単だよ、机ひっくり返せばいいんだよ」って。1回それやったけど（あっさりと）。ケンカしてやめた監督は現場的には不名誉でもなんでもない、信用も落ちない。言われるままにやって失敗したっていうほうが、誰も評価しないの。

――なるほど、負け戦するぐらいだったら喧嘩してうまいこと逃げたほうがいい。

押井　現場はみんな職人だから、売れなくてもすごいもの作ったっていう評価さえあれば、だいたい納得する。監督がフラフラしていて現場を振り回しただけだと、その結果、たとえ売れようが誰も評価しない。そういう意味では公正な世界なんですよ。逆に言えばそれだけあれば関係ねえっていう開き直りが常にあるから。僕はその中間でなんとなく両足を乗っけているだけ。だからコウモリだとかいろんなこと言われた。

――ああ、どっちつかずって?

押井　実写でヒラヒラやってまたアニメでヒラヒラやって、行ったり来たりで、「おまえ哺乳類か爬虫類かどっちだ!」って、実写の人間なんだかアニメの人間なんだかって、最近はさすがに言われなくなったけど、最初の頃[註22]はさんざん言われた。日本人の価値観として生涯一捕手みたいな、一芸に懸ける職人みたいなのが評価されるんですよね。いろいろやるっていう人間は、最終的にはあんまり評価されないっていうか。

ミヤさんとボク

――職人といえば宮崎駿さんについての、「いつもエプロンつけてるのは、本人は職人のつもりだけど、俺から言わせればレザーフェイス」って発言が大好きで。

押井　でも、あのエプロンは、私には○○○にしか見えないです(キッパリ)。旅行者を捕まえて潰してソーセージ作っちゃうって、たしかああいうエプロンしてたよなと思って。あの人の職人好きは知られているけど、正直言って僕にはよくわからない。アニメーターが職人だからっていえばそうなのかもしれないけどね。職人といわれる存在全般に対するあの思いいれは、ほんとうにわかんないです。段ボールでスピーカー作ってるオッサンとか変な三輪車作ってるオッサンとかにやたら肩入れするんだよね。まあおもしろいとは思うけど、やっぱり家に帰ったら奥さんに怒られたりっていう典型だよね。自分はアニメーターであり続けたいっていう思いがあるんじゃないかな。

——もちろん高く評価してるんですよね？

押井　僕自身の評価でいうと、たしかに素晴しいアニメーターですよ。今後もあんなアニメーター出てこないよね、きっと。万能なアニメーター。ただ監督としては問題ありまくり！　だって、いつも破綻してるんだもん。だから、監督・宮崎駿にはダメ出すべきだって俺はずっと思ってきたし、ダメ出ししてきた。誰もそれを活字にしなかっただけ。だってみんなわかってるんだもん、現場の人間は。でもあそこまで国民作家だから、誰も何も言わないですよ。

——だから、天に代わって押井さんが言う、と。

押井　あの人がさんざん批判した手塚治虫と同じになっちゃったっていうのが私の評価。そこが弱点というか、奥さんはそのへん容赦なく突くだろうな、「何さまだと思ってんだ」っていう感じになると思うよ。実際そんな話はいくらでも聞いた（笑）。

——こういう話を徳間の媒体ですると、一切載らなかったんですね（笑）。

押井　やっぱりジブリを批判して誰に得があるんだっていうね。ジブリが売れてるあいだは関連してる人間も全部仕事になるわけだから、それは誰も批判しないですよ。それでも世間にはヘソ曲がりもいるけど、それを批判して営業的に誰にメリットがあるの？　って話になったら、たぶん誰も得しない。僕は言いたいこと言ってきたけど、ビックリするぐらい活字になってない。それは徳間書店に限らない。

——日本中に気を遣われて（笑）。

押井　あるときまではホントにべったり付き合っていました。

——なるほど。

押井　だからむこうも、こっちの作品についてもああだこうだ言ってきましたよ。『天使のたまご』のときはコテンパンだった。「特攻隊みたいな映画を作るな」って。

——特攻隊みたいな映画というと？

押井　特攻隊っていうことはつまり、後先考えてないっていうこと。でもおもしろいもんで、ミヤさんが大事にしていた優秀なアニメーターがじつはその原画を描いてたりもして、ものすごく評価してくれたとか、『ビューティフル・ドリーマー』も奥さんが誉めたとか、皮肉なもんですよ。だからお互いさまなの、それは。僕の娘は『紅の豚』[註23]のセル画を欲しいって言っていて。

——もらいに行ったんですか？

押井　恥を忍んでもらいに行きましたよ。本人には言えないから、プロデューサーのひとりに、

「悪いけどいま駅前にいるんだけど喫茶店で待ってるからセル持ってきて」って言って。家族はみんな弱点ですよ。特に奥さんだ娘だっていったらダメ。

――家族なり何なり、かなりキツいことを言ってくる人というのは、身近に存在するんですね。

押井　この前、一番信頼してるアニメーターに言われた。僕のキャラクターには感情がないって。喜怒哀楽をあんまり表さないから、ジブリでなんかの試写観たときに、「あんたはこういう作品をたぶん一生作れないね」とか言うから、「一生作れないんじゃなくて作らないんだ！」って返したんだけど、「それは負け惜しみにしか聞こえない。人を感動させたい、泣かせたり笑わせたりっていうことをやらないいじゃない。あなたの作品は硬い、ゴツゴツしている」って言われた。

――厳しい評価ですね。

押井　そのとおりだと思うよ。

――そこは反論しないんですね。

押井　最近ちょっと宗旨替えしたけど、やっぱり自分が一番信頼してるスタッフに自分が仮想敵だと思ってる作品を誉められるのはけっこうつらいです。でも監督同士って、本来付き合わないものだからね。僕がミヤさんとあんなにベッタリ付き合ったっていうのは、基本的にはミヤさんに友達いないからですね。まあ僕もいないって言われているけど。

――『友だちはいらない。[註24]』の人ですしね。

押井　本まで出したからね。ミヤさんは間違いなく友達いないです。話を聞いてくれるのは鈴木敏夫ぐらいで、それはプロデューサーだからで、友人って関係ではない。

――押井さんは一時期、宮崎さんの友達と呼べるぐらいまでの関係になっていたんですか？

押井　友達っていうかどうかはわからないけど、ベッタリ付き合ってたのは事実。ミヤさんのスタジオに居候していたし、1日じゅうしゃべっていたね。1日2回ぐらい、一緒に飯食っていた。海外旅行も一緒に行った。旅行はずいぶん一緒にしたなあ。たぶんお互いにとって久々にしゃべりがいがある相手で、だから付き合ってたんだと思う。ツッコむし、うんちくは負けないと思っているし、旅行しても朝から晩までうんちくを競い合ってるだけだったかもしれないけどね。

編集　今だと想像しがたいですね。

押井　ただ、特にこれっていう原因があるわけじゃないけど、もう付き合う意味がなくなったと思った瞬間があったんじゃないかな、お互いに。それ以降も会っていたんだけど、会うたびに怒鳴り合いになっちゃったからね。不毛じゃないですか。周りはおもしろがっていたけど当人は疲れるだけで。「何度言ったってわかんないんだから、このクソ親父は」としかならないから。

――ふたりの怒鳴り合いは見たいですよ。

押井　あんまりいいもんじゃないですよ。何よりも周りへの影響がよくないっていうか、現場で怒鳴り合いになるとみんな静まりかえっちゃうから。すごいよ、みんな仕事している振りして顔上げないね。

――巻き込まれないように（笑）。

押井　スタジオに怒声が響き渡ったからさ。僕も本気で怒るときは怒鳴るんですよ。あれだけ怒鳴り合いしたのは逆に言うとミヤさんぐらいかな。高畑勲とも1回すごいのやったけど。やっぱりあのオッサンたちって基本的に恫喝が好きだから、どうしても最後はそうなっちゃうんだよね。ミヤさんはハッキリ言ってるからね、「声がデカいほうが勝ちだ」「いっぱいしゃべったヤツの勝ちなんだ」って。だから結局は同じ種類の人間なのかもしれないけど、1日じゅうしゃべってる。その3人と付き合った鈴木敏夫ってホントすごいと思うね。

――そのポイントでの評価。

押井　あの人は編集者の鑑じゃない？　あんな頭のおかしい親父と何十年もしゃべってるってホントに……だからああいう人間になったのかなっていう気もするけど、たしかにある種すごい人間ではあるよ。それは認めざるを得ない。ただやっぱり人がねえ……鈴木敏夫の話はまあいいいや。

――いや、もっと聞きたいですよ。

【註】1／1985年発売。主演声優を務めた根津甚八はいまは亡く、同年生まれに松田翔太、綾瀬はるか等がいる　2／2005年の愛知万博のこと　3／いわずと知れた国民的アニメーション監督。幾度かめの引退宣言を覆し、新作映画を制作中　4／アニメーション監督。『科学忍者隊ガッチャマン』から『しましまとらのしまじろう』まで　5／同時公開だった相米慎二監督『ションベン・ライダー』への敗北感を語っている　6／父・深作欣二の死去から、『バトル・ロワイアルⅡ【鎮魂歌】』の監督を引き継いだ　7／1984年はほかにも『風の谷のナウシカ』『超時空要塞マクロス 愛・おぼえていますか』も公開された　8／押井監督の思考は『勝つために戦え！』シリーズなどで語られているので必読　9／大阪芸術大学出身の同世代で、80年代に関西のマニアックな母体から登場したクリエイターに士郎正宗と庵野秀明がいる　10／ルパンは存在しなかった！というラストだったとか　11／山の民の系譜を「立ち喰い」で象徴した押井擬史　12／タイトルのもとは小松左京の短編小説『御先祖様万歳』　13／2009年1月23日　14／もと『アニメージュ』編集長　15／絵が描けないアニメーション演出家の代表的存在　16／神社仏閣などの特殊建築に携わる専門家、あのホリエモンだって修行なんて必要ないとは言えまい　17／ある世代にとっての「少年ジャンプ黄金期」は『暗黒神話』『ブルーシティー』『アストロ球団』などがそろって連載されていた70年代中ごろのことである　18／映画監督。『イレイザーヘッド』『ツイン・ピークス』など。「カルトの帝王」　19／SFファンはクーブリックと表記　20／2019年のタランティーノ監督作『ワンス・アポン・ア・タイム・イン・ハリウッド』では重要な役回りを果たす　21／不運のままで死没した小説家フィリップ・K・ディックを昇華させた　22／初の実写作品『紅い眼鏡/The Red Spectacles』は『機動警察パトレイバー』を監督する前のこと　23／飛「ば」ない豚はただの豚、が正しい。このフレーズ、もとは「狼は生きろ豚は死ね」への反論ではないか。映画『白昼の死角』の宣伝コピーでしたが、さらにもとがあり、あの『キャッツ』の劇団四季の1960年初演の舞台に『狼生きろ豚は死ね』があります。本の執筆者は石原慎太郎　24／2015年、TV Bros.新書から刊行され、続編もでたが、そんな「テレビブロス」も紙媒体での定期刊行から撤退してしまった

天使のたまご

初出
ＣＨＡＰＴＥＲ１～ＣＨＡＰＴＥＲ７　「キャラクターランド」（徳間書店）ＶＯＬＵＭＥ．２（２０１５年８月）～
ＶＯＬＵＭＥ．９（２０１６年10月）
ＣＨＡＰＴＥＲ８　「キャラクターランドＳｐｅｃｉａｌ」（２０１７年１月）
ＣＨＡＰＴＥＲ９　書き下ろし

吉《よし》田《だ》豪《ごう》の巨《きょ》匠《しょう》ハンター

印　刷　2020年3月20日
発　行　2020年4月5日
著　者　吉田豪《よしだごう》
発行人　黒川昭良
発行所　毎日新聞出版
〒102-0074
東京都千代田区九段南1-6-17 千代田会館5階
営業本部　03-6265-6941
図書第一編集部　03-6265-6745
印　刷　三松堂・精文堂印刷
製　本　大口製本

ISBN 978-4-620-32628-3
乱丁・落丁本はお取り替えします。